Les flamboyants d'Abidjan

DU MÊME AUTEUR

À l'est des nuages, carnets de Chine, *Denoël, 2009;
Arléa poche, 2011*
L'Arbre à singes, carnets d'Asie, *Denoël, 2012; Arléa
poche, 2013. Prix littéraire de l'Asie*

Les flamboyants d'Abidjan

DU MÊME AUTEUR

À l'est des nuages, carnets de Chine, *Denoël, 2009 ;
Arléa poche, 2011*
L'Arbre à singes, carnets d'Asie, *Denoël, 2012 ; Arléa
poche, 2013. Prix littéraire de l'Asie*

Vincent Hein

Les flamboyants
d'Abidjan

roman

Stock

ISBN 978-2-234-08103-1

À mes parents,
et à ma sœur Hélène

« Sans doute avons-nous tort, lorsque nous parlons de notre vie, de n'en retenir que la face la plus visible, les arêtes tranchantes, les épisodes dramatiques ou spectaculaires. Nous privilégions ce que tout le monde peut voir, ce qui est évident. Il faudrait pouvoir descendre dans l'épaisseur des jours, passer de l'autre côté de l'existence, sous l'écume des phénomènes. Établir avec patience et minutie le décompte des séismes intérieurs, tenir le répertoire des cataclysmes inaperçus. »

Michaël Ferrier, *Kizu*

« Au nombre des choses capables d'ébranler les hommes, il y a le souci des autres. »

Albert O. Hirschman

I

À l'âge de huit ans, donc, je vivais en Côte-d'Ivoire. En 1978, à Marcory, au sud d'Abidjan, sur le boulevard de Marseille, entre Biétry et le quartier de Treichville. Il était connu pour être l'un des plus animés de la ville avec ses rues sans trottoirs, sans nom, simplement numérotées de 1 à 25 et qui s'organisaient autour du célèbre carrefour France-Amérique. Passé 18 heures y clampinait tout un peuple invisible, qui riait ou sifflait de jolies filles adossées contre la nuit. Certains dînaient sur des caisses en bois ou accroupis dans la poussière tandis que les femmes cuisinaient dans des marmites posées à même la braise. D'autres entraient, puis ressortaient de boutiques ouvertes, construites de traviole, couvertes de planches ou de tôles ondulées et qui avaient toutes l'air de vendre la même ferblanterie. L'ensemble était chichement éclairé par des lampes à acétylène ou des phares de 504 branchés sur des grappes de batteries oxydées. De temps à autre, dans la maigreur de ces contre-jours surgissait une famille sur un vélo ou une bande de chiens qui en poursuivait une autre.

Nous vivions, mes parents, ma sœur Hélène et moi, dans une maison blanche et de plain-pied. Elle n'avait pas de volets mais des grilles d'hacienda protégeaient ses fenêtres dont les vitres montées en persiennes s'ouvraient en tirant sur une chaînette. L'intérieur était continuellement rafraîchi par d'imposants climatiseurs. Le long d'un interminable couloir, se trouvaient quatre chambres, trois salles de bains, une lingerie qui embaumait le Cajoline, une cuisine de paquebot transatlantique, et un grand living arrangé de fauteuils en velours noir et de quelques meubles en contrecollé que ma mère avait achetés à la hâte chez un Libanais, qui se vantait d'avoir fait fortune ici et l'avait escroquée gentiment en lui guignant les jambes. Au sol, sur un carrelage mortadelle, elle avait disposé de larges tapis de coco. Aux murs, peu de chose, sinon quelques photos de nous en maillot de bain éponge, grimaçant sous le soleil de Port-Grimaud et une tapisserie de chez DMC, en laine Colbert, représentant, à la manière d'Henri Rousseau, Adam et Ève, la pomme et le serpent.

Dehors c'était un jardin tout à fait tropical. Il poussait de façon fantasque, sur du gramen magnifique et plat. Ici et là, avaient été plantés quelques bananiers, un caoutchouc luisant duquel tombait de jour comme de nuit le cri d'oiseaux exaltés, trois ou quatre manguiers, un flamboyant et un papayer solide, avec ses feuilles en forme d'étoiles. Une haie d'hibiscus de trois mètres au moins, d'impatiens de Zanzibar et de becs de perroquets nous servait par ailleurs de clôture et nous isolait de la vie africaine.

Dans ce jardin il y avait encore une piscine, et de l'autre côté se trouvait le garage accolé à un bâtiment que nous appelions la boyerie. C'est là que vivaient les trois domestiques. Philippe s'occupait du gardiennage, Patiguine était le jardinier et Emmanuel était en charge des tâches domestiques. Ils avaient chacun une chambre sans climatisation, des toilettes à la turque et une douche commune. Leur pièce avait été meublée mais tous les trois avaient revendu les lits, les bureaux et les armoires afin d'envoyer un peu plus d'argent à leur famille. Ils dormaient désormais sur de grands cartons qu'ils dépliaient à même la dalle.

Contrairement aux nôtres, leurs murs étaient recouverts d'innombrables posters de paysages européens, mais surtout de bimbos nues, enflammées et huileuses. Ma favorite était une jeune Noire aux seins lourds, qui siestait dans un hamac ajouré. L'index de sa main droite écartait le triangle de son maillot et laissait apparaître une tache plus sombre de poils crépus. J'aimais cet endroit pour le sentiment d'interdit qu'il offrait, pour la lumière zébrée que laissaient passer les claires-voies de la porte et parce qu'il était une aubaine, une chance, un profit qui me revenait. J'avais mon tripot, comme d'autres un vélo de course à dix vitesses ou un Circuit 24, et puisque j'étais de tempérament prêteur, j'invitais de temps à autre un camarade de classe à venir y fumer une cigarette que nous avions préalablement chipée dans le paquet de mon père. Lorsqu'il nous surprenait, Patiguine riait. Philippe s'en fichait. Mais avec Emmanuel c'était une autre histoire. Il se mettait en colère et nous chassait de chez lui en faisant claquer le torchon qu'il portait à la ceinture.

Emmanuel avait une vingtaine d'années. Il était béninois. De Cotonou. Il avait été barman à l'hôtel Stop dans lequel mon père, six mois avant notre arrivée, avait installé les bureaux de la filiale qu'il dirigeait. Ils se voyaient chaque soir, et lui qui avait l'habitude de noyer la vacuité de ses repos dans le whisky à l'eau, avait trouvé chez ce garçon franc et discret l'artisan idéal de ses temps libres. Il lui proposa de travailler pour lui, je veux dire pour nous, et Emmanuel accepta.

Chaque matin il entrait dans ma chambre vers 7 heures en singeant le pas d'un tirailleur sénégalais. Il tirait les rideaux, claironnait une diane en soufflant sur son pouce, m'attrapait par une cheville, feignait de me dévorer le pied, se pinçait le nez, puis éclatait de rire en ajoutant : « Ne t'en fais pas ! Jamais le lion ne mange l'agouti ! »

Sinon l'amertume du cachet de Nivaquine qu'il fallait quotidiennement avaler, j'aimais ces matins ivoiriens : le short et la chemise de coton beige qui composaient mon uniforme d'écolier et nous faisaient ressembler à des miniatures de l'armée des Indes ; le parfum du café qui se mêlait à celui de la pile d'ananas suintante de sucre dans un coin de la cuisine ; l'odeur des fumées de chocolat que recrachait l'usine de Koumassi ; la lumière tendre, ombragée et fleurie qui entrait par les fenêtres et la porte arrière ; les « Tonton ! » inlassablement gueulés par les deux gris du Gabon nichant dans un avocatier voisin ;

et l'hymne tout en cuivres de la Côte-d'Ivoire qui ponctuait les informations radiodiffusées et annonçait l'heure d'attraper son cartable.

J'aimais Patiguine pour son visage profondément scarifié, cette habitude qu'il avait d'enfiler un bonnet de ski dès que la température tombait sous trente-cinq degrés, son indifférence à tout et cette apathie qu'il ne parvenait à secouer que pour me construire une cabane idéale à coups de machette et de branches de palme. Ces huttes minuscules étaient mon terrain de jeux favori. J'y passais des heures à entretenir des feux imaginaires, à tailler des flèches au canif, à m'inventer des histoires à la Edgar Rice Burroughs, Walter Scott ou Stevenson, et dans lesquelles Tarzan, Ivanhoé, Long John Silver et parfois même Davy Crockett avaient des choses à se dire. Bien sûr lorsqu'il était question de déterrer un trésor ou de chasser quelques animaux sauvages, il m'arrivait d'en sortir, armé d'une pelle à tarte ou d'une carabine à air comprimé. En fait d'animaux, je ne croisais rien de bien méchant : parfois un margouillat à tête orangée, une salamandre opaline, une sauterelle de la taille d'un briquet et, dans le pire des cas, un rat mort que le soleil avait recuit et rendu aussi sec qu'une feuille de chêne à l'automne.

Je préférais Emmanuel car il prenait soin de nous. Il était en charge du ménage, de la lessive et du repassage, qu'il goûtait d'accomplir avec calme, avec minutie et dans le silence de la vapeur. Il faut dire qu'il s'agissait pour lui de brûler à la pointe du fer les œufs que les mouches tumbu avaient pondus sur le linge et qui risquaient ensuite de se développer sous la peau. On les appelait les vers de Cayor. Ils apparaissaient d'abord sous la forme d'un gros bouton rouge, puis d'un furoncle dont la partie blanche n'était autre que le cul d'un bel asticot. Moi, je restais près de lui, assis dans le panier à linge, je le regardais faire et j'attendais qu'il me raconte une histoire ou qu'il me chante une chanson en langue yoruba. Si je m'impatientais, je récitais une table de multiplication, je sifflotais ou je l'assommais de questions. Immanquablement il me demandait de me taire, me disait que j'étais plus bavard qu'un oiseau et que j'allais « gâter son affaire ».

Lorsqu'il devait se rendre à Biétry, Emmanuel m'emmenait avec lui. D'un bras il me hissait sur ses épaules puis nous partions torse nu et en short, soulevant le sable des routes, à l'ombre des flamboyants. Nous étions accompagnés de fillettes de dix ou onze ans coiffées de courtes tresses et vêtues de pagnes merveilleux, qui leur tombaient jusqu'aux chevilles et leur donnaient une démarche ensommeillée. Certaines lui proposaient des cigarettes au détail, l'image d'un Jésus noir dans les bras d'une Vierge de même sang, de la canne à sucre ou des flacons de bois bandé. D'autres, à peine plus âgées, portaient déjà un nourrisson dans le dos dont on ne voyait que la tête et de grands yeux charbonneux. Elles nous suivaient, sans rien demander et sans trop savoir pourquoi. Elles avaient le nez planté au fond d'un attiéké contenu dans une feuille de bananier qu'elles mangeaient en se mettant du blanc jusqu'au front. Autour d'elles, de jeunes garçons jouaient avec une jante de bicyclette, un simple bâton, une boîte de conserve transformée en avion biplan ou un ballon de football mille fois rapiécé. Ce monde-là me plaisait bien. Je m'adaptais comme les pinsons de Darwin et la vie telle qu'elle se dessinait sous ces soleils nègres me convenait tout à fait. J'étais un pape, j'étais un roi, un « patron », j'étais un négrillon blanc, libre et choyé sur les épaules de son grand frère noir.

Biétry était un bidonville croupissant dans un dédale de ruelles zigzagantes, flanquées de baraques en planches et d'étals en désordre. Il s'y vendait des fruits, des légumes, des épices, toute une médecine approximative et un vrac d'objets hétéroclites qui allaient de la plus élémentaire des calebasses à d'impressionnants cabas tissés avec du jonc, du pneu recyclé ou de la semelle de tong. Dans la chaleur, la poussière, l'odeur des brochettes, celle des cacahuètes grillées, et de la merde, des chiens faméliques et souvent galeux se chauffaient le ventre sans rien attendre de mieux. Quelques poulets, deux ou trois truies aux mamelles comme des doigts et parfois un gros rat à la queue recourbée comme un hameçon, se partageaient des restes d'immondices que personne ne ramassait jamais.

À chacune de nos sorties Emmanuel passait saluer Yvonne. Il avait un faible pour elle. Elle était incroyablement belle, gâtée d'attitudes d'un naturel irrésistible et travaillait comme shampouineuse au salon de coiffure Blue Jean's. Sur la façade en banco le propriétaire avait peint cinq portraits naïfs représentant les coupes proposées : « la moderne » courte avec un trait qui simulait une raie à gauche, « la classique » moins courte avec une raie à droite, « la pratique » très courte, « l'économique » quasiment rasée et « l'américaine » courte bien sûr, mais qui se relevait sur le devant pour former une sorte de banane. Yvonne était pour moi d'une gentillesse absolue. Elle cachait dans le feston de ses boubous une poignée de dattes ou de la gomme à mâcher, emballée dans un papier cristal d'un jaune délicieux. Je savais qu'Emmanuel lui proposerait de nous rejoindre chez Joseph, un « maquis par terre » installé au fond d'une arrière-cour, et qu'il m'offrirait une limonade Solibra. C'était elle qui abrégeait leur conversation en lui disant qu'il faisait chaud et que je devais avoir soif. Elle ajoutait : « Va, et si je peux, je vous rejoindrai », puis elle posait la jolie paume rose de sa main noire sur ma joue.

Joseph tenait une buvette de six tables autour d'un catalpa tutélaire et d'un comptoir posé à la diable sur deux barils de la British Petroleum. C'était un endroit réjouissant, orné de guirlandes électriques qui s'animaient au rythme d'un ghetto blaster puissant et poitrinaire. Joseph était un homme de cinquante ans, assez grand, presque chauve et fanatique de Manu Dibango. On devinait qu'il aimait la vie à ses chemises fantaisie, ses pantalons Sergent Pepper, ses souliers en lézard et cette façon qu'il avait d'appeler tout le monde « mon ami », « mon frère », « mon fils » ou « ma gazelle ». Je me sentais bien chez lui. Pour l'essentiel, ses clients étaient des habitués. Certains y faisaient du commerce sans se prendre au sérieux et d'autres des parties d'awalé tout en buvant de la bière glacée ou des jus de gingembre. Emmanuel et Yvonne aimaient que je sois là. Je leur servais de caution morale. Je leur permettais de passer du temps ensemble, dans cet endroit fréquenté par des filles et des hommes forcément un peu noceurs. Yvonne en profitait pour exprimer ses dispositions aux tendresses maternelles. Elle avait pour moi mille attentions. Elle était toujours très inquiète de tout. Elle craignait que je me déshydrate ou, pire, que j'attrape une maladie à laquelle « mon corps de poulet bicyclette n'était pas préparé ». Alors elle me faisait avaler de grands verres d'eau fortement sucrée et m'essuyait les mains, les genoux et le coin des lèvres avec son mouchoir ou un morceau de sa robe qu'elle tenait pour propre. Moi je ne m'en plaignais pas. Je restais dans ses jambes et je me laissais soigner comme un loulou de Poméranie.

II

À Abidjan, nous n'avions pas de télévision et les sorties cinéma se comptaient sur les doigts d'une main. Toutefois, certains jeudis, vers 17 heures, l'hôtel Ivoire proposait la projection d'un Walt Disney. Ma mère aimait nous y emmener. Elle nous parlait du film quelques jours auparavant et nous quittions la maison très en avance car elle craignait les embouteillages sur le pont du Général-de-Gaulle. Elle espérait trouver une bonne place, ni trop devant ni trop derrière. Et puis elle nous promettait de faire des crêpes pour le dîner, avec de la confiture de mirabelles, de fraises ou de myrtilles, autrement dit de fruits qu'on ne trouvait pas encore en Afrique. J'ai toujours aimé les crêpes et j'ai conservé en vieillissant une préférence pour les desserts à la mirabelle. En revanche, aujourd'hui encore, je déteste les Walt Disney. À l'époque, le film se faisait attendre. Il y avait pour commencer une dizaine de spots jaunissants chargés de promouvoir la Librairie de France, l'hôtel Forum Golf, le club de ski nautique, la pizzeria La Pergola, ou La Perle d'Orient, qui était un restaurant vietnamien merveilleux et dont la terrasse couverte d'hibiscus s'ouvrait sur la lagune. Venaient ensuite quelques dessins animés assez courts, durant lesquels Mickey et sa bande de déglingués se mettaient dans des situations exaspérantes. La seconde partie, celle du long métrage, était pour moi la pire : Bambi, Dumbo, Pinocchio, Cruella ou Blanche-Neige déroulaient leurs vies sordides sur l'écran de cette salle, pleine de gamins surexcités et terriblement gueulards alors que d'autres, comme moi, restaient cloués au fond de leur fauteuil en priant pour que très vite ces histoires poignantes et ténébreuses s'achèvent enfin. Mais non, elles duraient, elles nous martyrisaient, elles prenaient leur temps, tandis que nous étions dans le noir.

L'Afrique, c'était aussi le lieu du bouleversement de l'esprit et celui de l'apprentissage de nouvelles sensations. Le dégoût, la peur et la violence, par exemple, prenaient ici d'autres formes. Ils étaient moins insidieux, policés et finalement beaucoup plus enthousiasmants qu'en Europe.

Ils venaient des éléments et de la nature, du ciel, des corps et de la terre.

Il y avait les insectes, leurs couleurs, leur taille monstrueuse, le danger qu'ils représentaient et comment il fallait s'en prévenir. Je me souviens des grosses blattes cuivrées qui nichaient dans nos verres à dents ; des longicornes jaunes ; des myriapodes luisants, rouges et longs de quinze centimètres ; ou du millier de moustiques qui, chaque soir, s'agglutinaient contre la vitre de ma chambre et à quel point le spectacle de leur vie grouillante me repoussait.

Il y avait l'odeur de la lagune, des égouts, de la merde, des ordures qu'on ne ramassait jamais, des fruits et des légumes pourrissant sous le soleil humide. Mais il y avait surtout l'odeur abjecte de la charogne. C'était un cauchemar lorsque j'accompagnais ma mère sur le grand marché du Plateau et que nous devions passer devant l'étal couvert de mouches d'une boucherie en plein air. J'agrippais sa main, je fermais les yeux, j'étais pétrifié et chaque pas me coûtait.

La merde, c'était autre chose. Ce n'était pas agréable bien sûr, mais on s'y faisait, on l'oubliait.

Il y avait encore l'intempérance des saisons – les sèches et celles des pluies qui nous accablaient d'eau – et puis les rares animaux avec lesquels il fallait être prudent. Il y avait aussi la part sombre des hommes, leurs colères qui survenaient subitement et leurs différends qui se réglaient à coups de poing, de pierre ou de machette. Je me souviens d'avoir été impressionné par les corps, les ventres bombés, les nombrils proéminents, les mâchoires édentées, les cicatrices et les amputations mais plus encore par le mouvement de ces corps. Il y avait de l'élégance et de la folie dans les chorégraphies des acrobates masqués sénoufos, des danseurs baoulés, mans, toubas, des échassiers et des mangeurs de sabres. Quelque chose en rupture de ban, de désespéré, et d'exaltant. « Mieux vaut, pour comprendre la peur africaine, un masque tribal avec une tête de mort pour tout visage, des perles en guise d'yeux, des coquilles pour dents et du raphia pour cheveux et barbe », écrivait à ce propos Alberto Moravia dans *Promenades africaines.*

Pour le reste, c'était une enfance heureuse dont les loisirs étaient essentiellement alimentés par des jeux d'extérieur ou par ceux que vendait la grande Librairie de France située dans le quartier du Plateau. Le Plateau était une presqu'île qui s'avançait sur la lagune Ébrié, entre la baie du Banco et celle de Cocody. Elle était couverte d'immeubles modernes qui abritaient l'administration ivoirienne, les principales banques et le siège de grosses sociétés internationales. Elle témoignait du développement africain. De jeunes hommes, en costume occidental et qui portaient de gros attachés-cases à serrure codée comme dans les séries américaines, se partageaient les rues et les trottoirs avec les portefaix, les boiteux, les tubards de la ville, car tous savaient que la réussite et l'argent se retrouvaient d'habitude par ici. On l'appelait d'ailleurs le « Manhattan africain », et si les Abidjanais savaient qu'il fut construit d'abord par et pour les anciens colons, ils en tiraient tout de même une certaine fierté.

D'habitude ma mère garait sa voiture sous les fromagers, les grands araucarias et les manguiers nus, desquels tombait le cri âcre des colonies de roussettes dont la fiente acide et jaune tachait durablement les carrosseries. Je revois l'image de ces arbres découpés, sans feuillage et d'un exotisme lugubre. Leurs branches étaient entièrement investies par les grappes noires et vibrantes de ces grosses chauves-souris à qui le mouvement du réveil donnait des allures et des nervosités de rats. Ce peuplement tout entier passait la plupart de son temps ici à dormir ou à se disputer des fruits. Mais parfois, sans véritable raison, au crépuscule, il se rassemblait en criant dans le ciel rouge et s'en allait rejoindre la réserve forestière du Banco.

Pour une centaine de francs CFA, des gamins de mon âge gardaient la voiture en s'asseyant sur le capot. D'autres nous demandaient de quoi régler la note de pharmacie d'un tonton souffrant ou de quoi s'offrir une place dans le taxi-brousse qui les ramènerait au village. Il y avait les cireurs de chaussures dont le sort dépendait de l'humeur du « riche » et qui trimbalaient en bandoulière leurs caisses de bois noircies et grossièrement clouées. Certains jours, celui-ci offrait de quoi faire un check-up complet à la famille tout entière, et d'autres, simplement parce qu'il faisait trop chaud ou que l'Afrique lui pesait, il écartait ce fretin avec des gestes qui en disaient long. Ici, ce n'était pas seulement le privilège du riche, c'était aussi celui du Blanc. Le colonisateur avait cédé sa place à l'expatrié. Le premier s'était monstrueusement installé sur des terres qui n'étaient pas les siennes. Le second les avait surexploitées et se trouvait ainsi à l'origine d'un désordre économique et écologique nouveau, qui promettait de ruiner le monde à coups de machines efficientes et de cargos souverains. Individuellement, je peux témoigner qu'il s'agissait de gens simples, souvent sympathiques, qui n'avaient pas conscience du mal qui se jouait et qui, pour la plupart, aimaient vivre en Afrique pour sa « culture », disaient-ils, la beauté de ses paysages, mais surtout parce qu'elle leur conférait un confort financier, une autorité et une considération à laquelle chez eux ils n'avaient jamais eu accès. Ils devenaient membres d'une communauté élitaire et gouvernante, d'un aréopage de gentils benêts, sortis de nulle part et qui s'apercevaient soudainement que la couleur de leur peau leur autorisait enfin un rang et des pouvoirs moins ordinaires.

La Librairie de France était un lieu merveilleux agencé sur deux étages. L'intérieur sentait l'ombre, le bois miellé, les sols passés au Saint Marc et le papier humide. Au rez-de-chaussée étaient proposés les journaux, les revues, la papeterie, un peu de maroquinerie et de l'électronique de bureau. Au premier, sous un éclairage au néon et devant l'escalier, il y avait une table sur laquelle étaient disposés les guides et de très beaux livres de photographies sur l'Afrique. Plus loin, les romans, la poésie et les manuels scolaires. Tout au fond, sur une table plus grande, étaient arrangés les jouets et les livres pour enfants. Quelques boîtes de bataille navale, de Cluedo, de Mille Bornes, de Mako Moulage ou de puzzles représentant des paysages de montagnes et de rivières en cascade, se pressaient contre un ordonnancement de boîtes de Lego, de maquettes d'avions, de miniatures Majorette, de soldats en plastique Airfix, de peluches Colargol, de figurines de Mister Magoo et de poupées Barbie athymiques. Parmi les livres, la collection incomplète de la Bibliothèque Rose et les plain-chants de la bande dessinée prédominaient : Tintin, Astérix le Gaulois, Blake et Mortimer et Buck Danny. J'aimais bien Buck Danny avec ses cheveux jaunes, sa flight jacket et son sourire très Captain America. J'avais reçu pour mon anniversaire la compilation des albums qui racontaient ses combats aériens au-dessus des îles Midway. Je les lisais et j'y revenais régulièrement car je trouvais les explosions d'appareils en plein vol admirablement réussies. Pour le reste, on avait dû m'offrir deux ou trois Club des Cinq, mais je dois avouer que leurs histoires de fantômes ou d'escrocs absurdes m'ont très vite ennuyé. Non, la littérature qui me plaisait et dans laquelle j'aimais me réfugier était celle des voyages. Elle était encore, à l'époque, considérée comme infantile ou en tout cas destinée à un jeune public alors même qu'elle avait été écrite par des coureurs de filles, de bouges et de bonne fortune. À huit ans, Stevenson, Kipling et Daniel Defoe avaient ma préférence. Jack London, Richard Hughes, Kenneth Roberts, Joseph

Conrad ou Alexander Kent, je les ai lus bien plus tard. *L'Île au trésor* et *Robinson Crusoé* m'emportaient assez loin car, à cet âge, je n'avais pas encore de «position souveraine» sur les textes que je lisais. Je les prenais pour argent comptant. C'est malheureusement un don qui se gâche et se corrompt avec le temps. *Le Livre de la jungle* me plaisait pareillement, mais la relation que j'entretenais avec lui était particulière. C'était un premier prix de mathématiques que mon père avait reçu en cours élémentaire et qu'il m'avait légué comme on lègue une montre à gousset, une bible ou une collection de timbres. C'était un livre qui embaumait son enfance et la maison de mes grands-parents. Un parfum rassurant et un peu triste de boîte à biscuits, d'eau de Cologne, de galet Harpic et de moquette usée. Il était large comme un grimoire, illustré à la gouache butyreuse et sa couverture rouge, cartonnée, incrustée de belles enluminures, annonçait un voyage abstrus et fantastique. L'Inde peut-être ? La jungle aussi ? Le rapport attachant que Kipling entretenait avec l'exotisme ? Toujours est-il que ce livre m'a laissé un souvenir inextinguible, comparable à la marque pérenne que laissent certains rêves, imprécis et poignants.

Non loin de la Librairie de France, sur une place sauvagement goudronnée et abrité par une confusion d'arbres exubérants, se tenait le marché à l'Ivoire. Certainement parce que nous attendions qu'il fasse moins chaud, je revois cet endroit le soir, toujours sous un ciel cerise ou de velours grenade. Il fallait d'abord passer une troupe de carambouilleurs qui essayaient de vendre ce qu'ils avaient chapardé la veille dans les containers du port marchand. Certaines semaines, il s'agissait d'un stock de cassettes TDK, de T-shirts à l'effigie de Michel Platini, de Juan Carlos ou d'Alpha Blondy. D'autres, c'étaient des presse-purée, du shampooing aux œufs, des gadgets qui auraient dû s'adjoindre au magazine *Pif*, des plaquettes de frein pour Datsun Cherry ou des cartons de pellicules Kodak détrempés par l'eau de mer. Parmi eux, je retrouvais les bouches cassées, les fronts suturés et les regards borgnes des personnages de Stevenson. J'allais, tenant ma sœur par la main, dans le sillage de ma mère qui nous frayait un chemin en gendarmant gentiment ces bandits. Avec ses cheveux détachés, ses jupes hippies, ses tropéziennes, ses grands colliers et ses tuniques en lin qu'elle teignait dans des couleurs tout à fait improbables, je trouvais qu'elle avait, elle aussi, quelque chose de caribéen. C'était un bonheur de marcher dans ses pas, et dans l'animisme de ce marché plein d'antiquailles. Elle aimait passer du temps à fouiller dans le fatras des statuettes, des masques, des petites figurines de dieux primitifs, des calebasses, des amulettes, des parures couvertes de cauris, des poteries noires de Katiola ou des peignes baoulés le plus souvent présentés sur des tissus étendus à même le sol.

III

Petit à petit, Yvonne s'installa chez Emmanuel. Elle commença par venir le samedi ou le dimanche, puis nous l'apercevions en semaine, de plus en plus souvent, en train de laver son linge ou de lui préparer un poulet kedjenou. Mes parents lui proposèrent de rester et de travailler pour nous. Yvonne accepta, ma mère racheta un grand lit, une armoire, une table et des chaises. Les affiches de filles nues quittèrent les murs de la boyerie et mon père pria Patiguine – qui avait l'habitude de ne jamais laver les toilettes – de bien vouloir «faire» au milieu du trou et de tirer la chasse chaque fois qu'il allait «cabiner».

Certes, mes copains et moi perdions ainsi notre claque. Il n'était plus question d'y venir guigner nos pépées en se partageant des Gitanes filtre. Mais je n'en voulais pas à Yvonne, j'étais au contraire heureux qu'elle soit là et qu'elle vive désormais parmi nous. C'était elle dorénavant qui préparait notre petit déjeuner, veillait à ce que nous ne recrachions pas l'abominable cachet de Nivaquine et nous conduisait à l'école. Chaque jour sur le chemin, elle nous achetait une poignée de dattes caramélisées ainsi que deux beignets très gras qu'elle emballait ensuite dans du papier cristal. Il fallait manger sucré, disait-elle, pour ne pas se déshydrater et bien retenir « la leçon ». Devant la grille, elle ajustait une dernière fois ma chemise et la robe de ma sœur. Elle réglait les bretelles de nos cartables, nous recoiffait, et nous embrassait sur le front. En fin d'après-midi, ma mère venait nous chercher. Sauf, bien sûr, si elle avait un empêchement. Dans ce cas, elle envoyait Yvonne. À 17 heures, elle nous achetait une orange que la vendeuse avait incisée au canif pour que nous puissions en extraire le jus. J'aimais ce moment-là : la sortie de l'école, le fruit que nous embrassions comme un sein, le chahut et les rires dans la poussière de la rue, la lumière plus tendre, les trois dernières images de football que l'on s'échangeait avec commerce à l'ombre des hibiscus, et puis « Ça va chauffer ! », cette chanson datant de l'indépendance du Cameroun et qu'Yvonne nous faisait répéter en frappant des mains, sur le chemin du retour :

« Vous libérez le pays,
Pillé par les colons,
Vous libérez le pays,
Brimé par des valets,
Pour chasser l'équipe des traîtres,
Les maquisards sont là,
Ça va chauffer,
Valets, valets, valets,
Ça va chauffer, ça va chauffer,
Vrai de mon père,
Vrai de ma mère,
Ça va chauffer pour vous,
Ça va chauffer pour vous,
Ça va chauffer, ça va chauffer... »

L'école, c'était le Cours Sévigné, un établissement privé qui accueillait les enfants de diplomates, de militaires, d'expatriés et de riches Ivoiriens. Quelques bâtiments éblouissants de soleil comme ceux d'un dispensaire ou d'une administration coloniale et dispersés dans une espèce de Canaan débordant de fleurs grasses. Elles sucraient l'air que nous respirions et rendaient la chaleur plus acceptable. Sinon notre institutrice, Mme Morin, avec ses airs de fonctionnaire papelard et ses coups en vache, cet endroit aurait été un paradis. J'y avais de bons amis et de petites histoires d'amour naissantes qui embellissaient mes journées. J'avais un faible pour Georgia Dibango, dont le père Manu faisait déjà, à l'époque, danser l'Afrique tout entière. Je la trouvais merveilleuse avec ses cheveux nattés et cette façon très à elle de sourire ou de plisser les yeux. Elle était bien plus grande que moi et j'avais beau faire mon intéressant, rien ne pouvait la distraire de Thomas, un Noir athlétique capable de marquer des buts depuis le milieu du terrain, en levant légèrement les bras à la manière des joueurs professionnels ou d'un danseur de chez Béjart.

Comme partout, nous étudiions, l'algèbre, les « mathématiques modernes », l'orthographe, la grammaire et on nous entraînait à la lecture sur des textes étonnants de naïveté. Ma mère suivait ma scolarité de près et j'étais un bon élève. J'avais une préférence pour l'histoire et surtout celle de la Côte-d'Ivoire que je trouvais bien plus intéressante que la nôtre. Les Gaulois, les Romains, puis les tracasseries de nos rois fainéants enfermés dans des châteaux humides avec des épouses d'une laideur absolue ne me parlaient guère... L'étude des premiers « Ivoiriens » me plaisait davantage. Mon livre, dont la couverture était aux couleurs du drapeau national, les décrivait comme des Pygmées inoffensifs et roux, fuyant tout combat et vivant au cœur de la forêt primitive du produit de leur chasse et de la cueillette. Nous survolions ensuite les principales ethnies dont il fallait savoir les noms par cœur et pouvoir les situer sur des cartes imbibées d'alcool à ronéotyper que Mme Morin nous distribuait avant chaque interrogation. Au bord du fleuve Bandama dans la région d'Oumé, il y avait les Gagous et les Didas. Au nord des Gagous, c'étaient les Kouenis et les Baoulés. À l'ouest c'étaient les Dans. Dans les montagnes à l'est de Touba, vivaient les Touras. Au nord-est, les Koulangos de Bondoukou avançaient au-delà des frontières de l'actuel Ghana et de la Haute-Volta. Il y avait enfin les Lorhos et les Mossis, mais je serais aujourd'hui bien incapable de les situer. Mme Morin nous enseigna ensuite le Moyen Âge ivoirien. Il s'agissait d'après elle d'une cohabitation pacifique entre les commerçants dioulas, les nomades lobis, les agriculteurs koulangos et les maîtres abrons, passionnés par l'or et appartenant à la famille des Akans de l'actuel Ghana. Il y eut ensuite au XVIIe siècle l'arrivée des musulmans mandingues, ainsi qu'un chapitre intitulé « Les grandes migrations de l'époque moderne » d'une complexité telle que je n'en ai malheureusement gardé aucun souvenir. En revanche, je me souviens parfaitement de celui consacré à l'esclavage. Le livre expliquait que nous avions capturé, acheté et déporté environ dix mille sujets sur une période de cent cinquante ans parmi les plus jeunes, les plus sains et les plus capables de ces différentes ethnies. Mais, plus que le texte, l'histoire familiale et les explications de leurs parents provoquaient chez nos copains africains une colère revancharde et légitime qu'il nous fallait essuyer. Les comptes se réglaient à la récréation. Les uns vengeaient leurs ancêtres à coups de poing, de pied, d'insultes et de crachats. Les autres se défendaient en défendant l'indéfendable. Un mois durant nous nous donnions rendez-vous loin de la surveillance des adultes pour une guerre qui ne nous concernait plus, mais qu'il fallait remporter à tout prix. J'étais parmi les Blancs et je cognais dur, car j'avais compris que désormais rien ne serait plus comme avant et que tout espoir de conquérir un jour le cœur de Georgia était perdu.

IV

Mon père aimait vivre en Côte-d'Ivoire. Il aimait les opportunités professionnelles qu'elle lui offrait, son climat, les soirées qu'il passait avec ses amis au restaurant du Palm Beach, du Forum Golf ou de l'hôtel Ivoire et ses escapades en brousse ou en forêt, qu'il n'aurait manquées pour rien au monde. Il aimait la spontanéité des gens, leur humour et leur simplicité. Il se sentait bien parmi eux et je dois dire qu'il s'était remarquablement adapté. Il dirigeait à l'époque une entreprise de travaux publics qui fut rachetée plus tard par le groupe Spie Batignolles. Il bétonnait, il modernisait, il électrifiait, il apportait la lumière dans des endroits qui s'en étaient passés jusqu'alors et cela le rendait fier. Parfois non. Parfois au contraire, il se repliait. Il donnait l'impression de souffrir, de se consumer, de s'égarer, et d'entrer dans une demi-torpeur. Je crois qu'il vivait en silence les prémices d'une acédie professionnelle, une perte de foi dans le système techno-capitaliste qui avait été jusque-là la substructure de sa vie. Non seulement son fondement s'effondrait, mais il l'engloutissait peu à peu dans ses gravats et sa poussière. Il n'aimait pas la compétition, les coups bas, la triche facile, celle qui rapporte gros et celle qui rapporte vite. Il pensait que le succès devait provenir du travail, du talent, de la justice et du partage. Mais depuis les années soixante, depuis l'invention sinistre du container, était apparu un monde neuf, qu'il fallait globaliser. Les cargos couraient ici et là chargés de produits fabriqués par des hommes surexploités, grâce à l'héritage commode de ce terrible darwinisme social dont l'Angleterre puis l'Occident tout entier se prévalaient depuis le XIXe siècle en expliquant que les « meilleurs » devaient avaler les « plus faibles » (entendez les plus pauvres) et que personne ne pouvait empê-cher l'évolution des espèces ni contrarier l'ordre de la nature. Je ne crois pas que mon père ait voulu un jour faire partie des meilleurs, ni des forts, ni des compétiteurs. Il voulait faire partie des justes, des gentils, des honnêtes, de ceux qui aident et de ceux qui sauvent. Lorsqu'il s'est aperçu que l'appareil qu'il défendait nous vou-lait du mal, il était trop tard. Alors il s'est mis à noyer cette idée dans deux doigts de whisky que sa main nerveuse, chaque soir, faisait aller et venir au fond du verre qu'il hochait et tenait par le cul.

Pour ma mère les choses étaient différentes. Elle craignait pour notre santé, et cette violence, qui là-bas survient subitement, l'effrayait sans mesure. De temps à autre elle apprenait qu'un enfant victime d'une maladie tropicale avait été rapatrié à Paris ou qu'une famille de Français s'était fait bastonner, pour un peu d'argent, un mot de trop ou parce que nous entrions dans la période des fêtes de l'Indépendance. Lui prenait ces histoires avec farce, elle ces nouvelles l'altéraient. Elle ne se plaisait pas en Afrique, elle s'ennuyait, elle ne s'adaptait pas et elle s'efforçait de le convaincre qu'il fallait rentrer plus tôt.

V

Mes parents louaient une paillote au bord de la mer, sur la plage, non loin de Grand-Bassam. Une simple cabane de palmes séchées, posée sur quatre troncs de cocotiers blanchis à la chaux. Elle abritait un barbecue en fonte, une grande table entourée de bancs très sommaires, ainsi qu'une minuscule chambre de planches disjointes, dans laquelle on rangeait un peu de vaisselle, une ou deux nappes de coton et quelques cannes à pêche avec de gros hameçons rouillés. Certains dimanches, les collègues de mon père nous rejoignaient à la maison et nous partions ensemble aux alentours de 10 heures. Le coffre des voitures était chargé d'eau minérale, de paniers pique-nique, de serviettes de bain et de jeux de plage. Mon père conduisait, Emmanuel était à ses côtés. Ma sœur et moi étions à l'arrière entre ma mère et Yvonne. Le cuir synthétique de la banquette nous collait aux cuisses. Le moteur renâclait et les amortisseurs claquaient au fond de chaque trou. Julien Clerc, Police, Supertramp ou Polnareff tournaient en boucle dans l'autoradio et, de temps en temps, leurs voix vrillaient parce qu'on avait oublié les cassettes sous le soleil du tableau de bord.

Dès la sortie d'Abidjan nous apercevions les flamants roses sur un bras de lagune d'une couleur assortie.

La route longeait la côte et traversait les villages de pêcheurs, avec leurs cases de palmes grises, leurs pirogues au repos, le parfum chaud du poisson au fumoir et celui des arachides grillées que les femmes vendaient ensuite dans des bouteilles de Johnny Walker.

Des nuages de latérite annonçaient les camions chargés de bois, de café, de coton, d'hommes et de chèvres ; les breaks 504 aux galeries rondes comme des ventres ; les véhicules de toutes sortes qui chassaient du cul pour un oui, pour un non et dont on savait qu'il en fallait peu pour qu'ils percutent une termitière ou finissent plantés dans un boqueteau. Sur le bord de la piste, on croisait des troupeaux de zébus faméliques contenus par les baguettes de jonc de vieillards aux regards céladon; et ces files de marcheurs qui passaient là, habillés de couleurs ingénues et dont les têtes supportaient de la canne à sucre en fagots, des régimes de bananes, des bassines d'ananas ou de chiffons à trier.

Lorsque nous partions de très bonne heure, la brume tombait entre les arbres et renforçait le vert des cocoteraies. De la route nous ne pouvions voir la mer, mais nous la devinions et c'était d'autant mieux. Plus loin, fantomatique et belle, la cité coloniale de Grand-Bassam apparaissait avec ses demeures seigneuriales et délétères, ses maisons de commerce, son palais de justice enfoui sous le plumeau des cocotiers et sa prison couleur de lune. Lors de la fièvre jaune de 1899, la ville avait été abandonnée par l'élite courageuse de l'administration coloniale. Ses façades miasmatiques, son cimetière français ombragé de filaos et quelques histoires de revenants lui donnaient aujourd'hui un caractère sépulcral et nostalgique. Il était encore question d'une cloche qui se mettait à sonner sans qu'elle existe nulle part, de petits enfants en costume marin et robe à volants qui certaines nuits revenaient se promener dans la grand-rue, et d'une dame blanche que les autochtones avaient aperçue, en crise, en larmes et vomissant du noir, sur le balcon de ses appartements. Elle avait été, paraît-il, abandonnée par un mari adultère qui s'était enfui avec sa maîtresse et l'argenterie sous le bras, du côté de Bingerville.

Le sable piqué d'algues sèches, d'écorces de coco et de bois mort; le soleil suppurant dans le gris du ciel; un filet d'air dans l'ombre humide des cocotiers; la mer d'une belle couleur lézard avec ses rouleaux écumants et meurtriers; le goût du sel aux coins des lèvres, le son des cauris sur le jeu d'awalé, les pirogues sur le flanc, les villageoises d'à côté qui proposaient leurs fruits pour « cent francs, cent francs! », les Touaregs en bleu, offrant des sagaies ou des sabres aux touristes dans leur fourreau de maroquin rouge qui sentait bon le tannage au sumac, c'était admirable et d'une intensité si parfaite qu'il y avait là de quoi s'empaqueter un vrai paradis. Le Club Méditerranée ne s'y était pas trompé car, à quelques dizaines de kilomètres de notre paillote, avait été installé un village de bungalows dont certains locataires, plagistes ou trekkeurs osaient pousser jusqu'à chez nous. Parfois l'un d'entre eux, imprudent ou sous-vitaminé, se faisait avaler par la mer. Les hommes s'agrippaient alors par les bras, formaient une chaîne musculeuse, entraient dans l'eau et l'extirpaient du ressac.

Sitôt arrivé, mon père déverrouillait la porte du cabanon, retroussait les jambes de son jean et filait jeter ses lignes à la mer. Tixier, Arnaud, Henninger et Jacky déchargeaient les voitures puis vérifiaient que les bouteilles étaient au frais dans le ventre des glacières. Ils dressaient la table, bricolaient un hamac, ramassaient du bois et allumaient le feu. Ils s'occupaient à des riens en se chamaillant comme des enfants, tandis que leurs épouses ouvraient de gros Tupperware pleins de salade niçoise, de taboulé, de charlotte aux fruits et de mousse au chocolat très épaisse. Ils formaient une bande d'inséparables copains. Ils travaillaient ensemble et se voyaient le soir ou le week-end autant qu'ils le pouvaient. Mon père a toujours eu le talent de s'entourer d'amis généreux, honnêtes, naturels et drôles. Les histoires l'ennuyaient. Les complications aussi. Roger Tixier était une petite personne loyale et attentive aux autres. La peau de son cou ridée par le soleil me rappelait celle d'une tortue de Floride que j'avais eue plus jeune. Odette, son épouse, était non moins charmante, ronde comme un bolet et d'une gaieté remuante qui en imposait à tous. Ils avaient deux filles de quinze et dix-sept ans : Brigitte et Magali. Ils composaient ensemble une de ces familles conscientes que le bonheur tient dans une main et savaient s'en contenter. Arnaud était plus âgé, plus froid, plus grand, plus militaire. Il avait fait l'Algérie comme officier parachutiste et, très jeune, un peu de résistance dans le Vercors. Il m'impressionnait et je crois qu'il impressionnait mon père. Henninger et sa femme Astrid étaient des gens profondément gentils et d'accord sur tout. Ils n'avaient pas d'enfants et déversaient sur Brigitte, Magali, ma sœur Hélène et moi leur trop-plein d'affection. Elle surtout. Elle nous gavait de Choco BN, nous embrassait au moindre prétexte, nous tartinait de crème solaire et voulait partager nos jeux. Mon préféré était Jacky. Il m'avait offert une véritable griffe de lion, que je portais en pendentif. Il avait une silhouette massive, les cheveux longs, bruns et gras, les yeux rieurs et un ventre tendu sous son éternel T-shirt « Trindel Côte-d'Ivoire ». Il était conducteur de travaux. Il passait le plus clair de son temps en brousse, sur des chantiers difficiles, et vivait dans des cabanes en fer décaties. Il en revenait fatigué, souvent fiévreux et chargé d'histoires à la docteur Schweitzer. Elles me fascinaient. Il racontait qu'il avait vu dans un village wobé des guerriers se transformer en panthères. Ils attendaient la nuit, s'écartaient des hommes, supportaient en silence les convulsions de leur métamorphose, puis s'en allaient à la chasse en disparaissant parmi les grandes herbes coupantes. Il parlait des sociétés secrètes sises à l'ouest du pays et dont les membres avaient la faculté de se changer en buffles, en éléphants ou en babouins, aux fins de surveiller les hommes et de sanctionner leurs mauvaises actions. Ce goût qu'il développait pour l'animisme le rendait intéressant. Certes, ces croyances lui permettaient d'apporter quelques réponses aux questions existentielles qu'il se posait, mais je crois surtout qu'elles l'aidaient à supporter le remords d'avoir abandonné en France sa femme et ses enfants, au profit d'une belle jeunesse africaine, insupportablement jalouse, colérique et dépensière.

Ces dimanches africains me comblaient. Passé l'obligation de terminer l'abominable assiette de taboulé de la mère Tixier, venait l'incomparable charlotte aux fruits de ma mère. Ce gâteau de boudoirs spongieux restera jusqu'à la fin de mes jours l'un de mes desserts favoris. La douceur du sucre mêlée à la fraîcheur de la vanille me renvoie systématiquement au bungalow de Grand-Bassam et au son choqué puis gazeux de la vague sur le sable bouleversé. De là, je revois nos chasses aux crabes, aux coquillages, et avec quelle énergie nous nous bricolions un après-midi à la Robinson. Emmanuel était mon Vendredi, car il m'enseignait avec patience l'art de porter une bouteille de verre en équilibre sur la tête, celui de découper puis d'ouvrir à la machette une noix de coco, celui de tresser les feuilles de palme pour en faire un panier ou une simple natte, celui encore d'attraper un margouillat vivant et celui enfin de grimper aux arbres sans s'écorcher l'intérieur des cuisses. Yvonne était une belle indigène auprès de laquelle je me réfugiais à la moindre piqûre, ma sœur se transformait en petit animal domestiqué, tandis que Brigitte et Magali, grâce à des chapeaux découpés dans les pages du *Fraternité-Matin*, devenaient James Cook et Jean-François de La Pérouse. Ensemble on guerroyait, on découvrait, on s'échouait, on s'inventait des bouts du monde, on dessinait des cartes avec une grosse croix imprécise pour l'emplacement du trésor et puis, vers le soir, nos bras irradiés d'air marin, on creusait dans le sable des trous impossibles pour que le soleil tombe dedans.

VI

« Je compte beaucoup de personnages
ensevelis dans les ténèbres tandis que
le soleil, tirant profit de mon absence, a
consumé les fondements d'une enfance
désormais égarée dans les lacis des
souvenirs. »

Alain Mabanckou, *Lumières de Pointe-Noire*

J'étais un enfant fantasque et un peu men-
teur et cela m'a pris en Afrique. J'étais distrait,
abstrait, bavard et le monde dans lequel je vivais
était un juste milieu qui ne me convenait pas.
Je trouvais qu'il manquait d'allure, de mises
en scène et finalement d'absolu. J'inventais des
histoires sans queue ni tête, de chimpanzés ven-
geurs, de tour du monde en hélicoptère, d'aileron
de requin aperçu près du rivage à Grand-Bassam,
ou de serpents minute vivant en nœuds dans les

53

piles de linge de mon armoire. Mes affabulations déclenchaient parfois une alerte. J'étais le plus souvent démasqué et copieusement puni. Cela m'était égal, j'apprenais, j'imaginais, j'inventais, je réglais les cordes de mon instrument. J'adorais les histoires, les contes et les légendes très suggestifs que me racontait Yvonne, le soir, lorsque Emmanuel préférait sortir. L'ombre de ses mains dessinait de grands félins à l'affût dans les herbes et savait, comme dans le cinéma un peu vaudou de Jacques Tourneur, inspirer l'effroyable sans jamais le montrer. J'ai malheureusement oublié le détail de ses histoires. Je me souviens simplement qu'il était souvent question d'enfants kidnappés par de vieux féticheurs jaloux, de poulets rouges, de bave de serpent, de règlements de comptes à la machette, de nuits bleues et de forêts grouillantes d'esprits, et qu'elles étaient ponctuées de silences merveilleusement angoissants, de claquements de langue, et d'un « eïh ! » pointu qui annonçait le dénouement tragique et me faisait à coup sûr remonter le drap jusqu'au nez.

J'ai jeté ces légendes africaines et les mensonges de l'enfance dans un salmigondis de doutes et de songes. J'essaie de rattraper mon histoire. « Des mots m'y aident, écrivait François Nourissier : pierre meulière, bons points, "Tom habille les jeunes", le direct de treize heures quinze, le supplément théâtral de *L'Illustration*, les manteaux de demi-saison, les robes de demi-deuil (grises, mauves, col blanc), la vertu des plages bretonnes, l'art et la manière de "se tenir à sa place" […]. » Pour moi, il s'agit de noms propres. Ceux des villes, des villages, des réserves et des fleuves. Ils s'attachent aux quartiers d'Abidjan. Ils me ramènent aux voyages que nous faisions dans le pays. Ils s'inscrivent au bord de la mer, à l'orée d'une forêt, sur la glu du bitume ou sur les pistes déliées. Ils me sonnent à l'oreille comme du bois choqué. Ils portent en eux le bel accent rebondi de l'Afrique. Je pense à Abobo, à Sagbé, à Yopougon. Je pense à Adjamé, à Cocody, à Niokosso, à Koumassi, à Port-Bouët, à Vridi et à Williamsville. Je pense au Bandama, au Banco, à la Marahoué, à Bingerville, à Jacqueville, à Agboville, à Yamoussoukro, à Bouaké, à Katiola, à Ferkessédougou, à Korhogo, à Boundiali, à Kouto, à Odienné, à Gouessesso, à Man, à Grand-Lahou, à Sassandra, à Soubré, à Bondoukou, à Doropo, à la réserve du mont Nimba, au parc de la Comoé… Et soudain ils me renvoient là-bas, chez moi, dans la lumière chaude et la pluie.

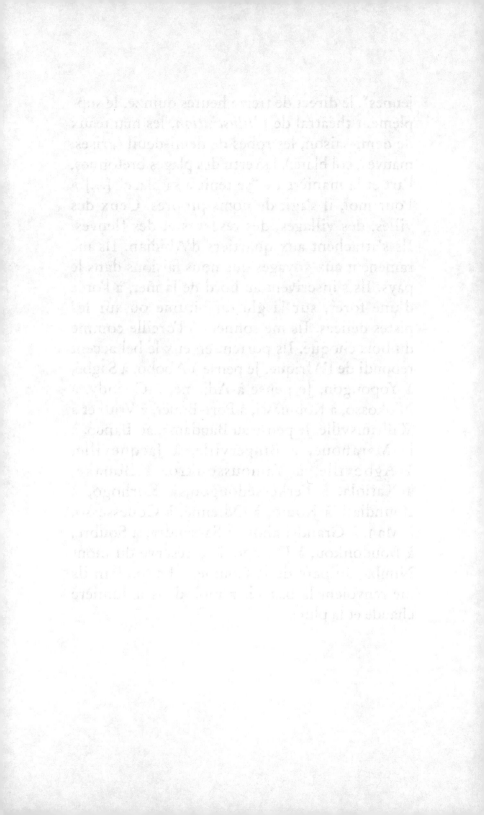

VII

Le parc national du Banco était une forêt primaire au nord d'Abidjan. Nous nous y rendions de temps en temps puisque mon père s'entêtait à vouloir y photographier un clan de chimpanzés. Pour les entrevoir, il fallait s'enfoncer dans un profond tunnel de bambous, d'avodirés, d'hévéas et de lianes d'un vert si prébendier qu'il confisquait la lumière, la transformait, la gauchissait, pour la restituer chargée d'une épaisseur pointilliste à la Seurat. Cette lumière était merveilleuse et savait s'y prendre pour que les couleurs impriment l'œil, déverrouillent l'esprit, cherchent un terrain d'entente puis s'ouvrent en vous comme la fleur d'un alcool bien fait. Les singes vivaient là, entre « trois arbres » tutélaires et sur le camouflage providentiel d'une broussaille d'herbes noires. Au-dehors, la lumière était absolument différente : blêmissante, hâve, voilée, moins radicale. Une fois sortis, nous longions la rivière qui s'élargissait pour former un étang dans lequel les enfants avaient pied. Le week-end, les chauffeurs de taxis venaient y laver leur voiture, et toute la semaine les fanikos[1] en slip battaient le linge sur de grosses chambres à air, à renfort de cris, de chants et d'éclaboussures. Puis ils l'étendaient sur l'herbe boueuse de la berge, la rendant ainsi multicolore et fumante. Ils gagnaient leur vie en lavant d'incroyables paquets de linge, pour quelques francs CFA, après avoir acheté d'impressionnants blocs de savon gras aux femmes qui le fabriquaient sur place dans de gros chaudrons noirs.

Mon père était très mauvais photographe. Malgré tout, je crois qu'il a dû faire un bon millier de diapositives animalières. Il les classait ensuite, patiemment, dans des chariots circulaires qu'il rangeait sur les étages de sa bibliothèque. Seuls les babouins du bord des routes étaient pris d'assez près. Or ces images ne sortaient jamais de leurs boîtes, car souvent en arrière-plan on apercevait la scène primitive d'un couple forniquant à la diable, avec cet air qu'ils ont toujours de ne jamais trop y être.

1. Laveurs de linge sur la rivière du Banco.

Pour les autres, à l'heure de la projection, personne, sinon lui, ne reconnaissait les chimpanzés du Banco, le beau vol silencieux des pique-bœufs, des hérons, des grues, ou des flamants roses au-dessus de la lagune Ébrié. De temps à autre seulement, quelqu'un s'écriait lorsqu'il devinait l'indéfinissable contour d'une société de bubales dans la sécheresse et le flou d'une savane vers 13 heures, ou la masse rocheuse de trois culs d'éléphants prise au bord d'un marigot: «Ah oui! En effet André, là, on les voit!» Il n'y croyait pas vraiment mais, le connaissant, je peux dire que cette simple remarque, ce simple signe d'attention, d'amitié et d'affection, rendait mon père heureux, friable et souriant comme un enfant.

VIII

Rien ne ressemble moins à une pluie qu'une autre pluie. Elles sont multiples et singulières. Elles ont un grain, une chanson qui leur est propre, une odeur bien à elles. Certaines révèlent magistralement les égouts, l'odeur de chiottes, la fange, le rat mouillé, le typhus ou le choléra. D'autres soulignent d'un trait le parfum des bruyères, dans un sous-bois, ou celui du foin chaud dans une prairie à peine fauchée. Certaines invitent un arc-en-ciel, d'autres pas. Certaines sont lourdes et orageuses. Elles s'abattent et tonnent comme des avions en flammes. Elles préfèrent le Sud, la garrigue, la rocaille, les chemins argileux et les branches de platanes qu'elles cassent avec le genou. Elles affolent les girouettes, font sauter les plombs, déchirent le drapeau des mairies, bouleversent les marchés et inquiètent les chevaux. Je les aime bien celles-ci. Je les trouve tièdes, jean-gioniennes et franches. Elles sont mes pluies de vacances, mes pluies d'été. Elles nous surprenaient enfants alors que nous étions en jeans effrangés, avec deux flingues à la ceinture, un canif suisse dans la poche, une plume de ramier sur l'oreille et le torse charbonné de peintures sioux. Sous ses ciels noirs, on courait, on criait « À l'attaque ! » ou « Mort aux cons ! », on tapait dans les flaques, on flinguait nos espadrilles… Une fois rentrés, il y avait le plaisir de la serviette de bain rêche frictionnant les cheveux, celui des vêtements propres, des biscuits Prince choco, de la bouteille d'Orangina dont la première gorgée bue au goulot aiguisait paradoxalement la soif, et celui de la demi-heure à passer devant le trait moche des dessins animés japonais diffusés par la grosse télévision couleur du salon.

Elles n'étaient pas rafraîchissantes mais les pluies d'Afrique étaient laborieuses et belles. Elles étaient moins échevelées, plus régulières, je dirais plus piocheuses que les moussons d'Asie. Elles respectaient un « plan de charge » et n'en sortaient pas. De mai à juillet c'était la grande saison des pluies. Le ciel s'allongeait comme une vague sur le sel de la terre puis recrachait une brume bouillonnante d'un mauve shakespearien.

Les averses se calmaient d'août à septembre, et en octobre débutait la petite saison des pluies qui, durant deux mois, déversait sur nous une eau droite, bruyante et tiède. Elle assommait le pays dans son entier et l'enfouissait dans une gamme infinie de couleurs ternes. La terre elle-même ne respirait plus. Le soleil, lui, dérivait paresseusement dans son bain galant. On ne voyait pas à dix pas. On n'entendait rien d'autre que le fracas diluvien. Le jardin était un marigot de bulles éruptives et Yvonne en profitait pour nous laver dehors. Elle nous mettait, ma sœur et moi, chacun dans une grande lessiveuse de fer brossé. Elle nous savonnait sans ménagement. Elle nous tenait par le bras tandis que nous dansions cul nu et moi le zob à l'air, dans une sorte d'ébriété de la vie, qui nous rendait aussi fous que des enfants ensorcelés. Le parfum joyeux du savon nous arrivait au nez à petits souffles. Il se mâtinait à celui du nard qu'elle employait pour ses cheveux. La vie dans ce jardin était heureuse, acide et bonne comme un frisson. J'allais bien, j'étais transporté, empli, et je découvrais les prémices d'une aptitude au bonheur simple d'être au monde.

IX

« Sous l'empire du poison, mon homme
se fait bientôt centre de l'univers. »

Charles Baudelaire

Peu à peu, au contact de mon père, Emmanuel
s'était mis à boire. De la bière, du pastis – parfois
pur pour se blanchir les dents, disait-il –, de la
Suze au début, puis du whisky, qu'ils prenaient
le soir après dîner, sans glace, en le noyant de
moins en moins. Lorsqu'il avait trop bu, mon
père sombrait dans un fauteuil de velours noir
et dans un repli de soi qui le rendait triste à
voir. Il joignait les mains derrière la nuque et
gardait posée la bouteille à ses pieds. Ses yeux
pers traversaient les nuages en nœuds de son
tabac puis se vitrifiaient. Il s'éloignait de nous,
s'empâtait, se taisait le plus souvent car, lorsqu'il

s'exprimait, il devenait si imprécis, si trébuchant et si spleenétique que même ses idées semblaient vouloir le ficher à la porte. L'alcool le punissait, l'envoyait en exil, en ermitage, et cet ermitage qui pourtant s'inscrivait dans une disparition bien élevée, inoffensive et touchante, me donnait une image de lui qui, aujourd'hui encore, m'est proprement insupportable.

Emmanuel s'asseyait en face de lui, sur le tabouret sénoufo du salon, et nous racontait une France qu'il façonnait à son goût, qu'il défendait, qu'il remâchait indéfiniment et qu'il tirait de l'imagerie vieille lune d'un livre d'histoire vulgarisée, grâce auquel ma mère l'entraînait à la lecture. Il s'emportait parfois. Il se représentait un pays courageux, inventif, généreux et juste. Il apprenait la vie de Clovis le roi chrétien, de Childebert et de Childéric ; de Pépin le Bref, de Charlemagne, de Roland criblé à Roncevaux ; de Charles le Gros, de Saint Louis rendant sous son chêne une justice contestable, de Jean le Bon et d'Henri IV. Puis il survolait la Révolution : Robespierre, Danton, Louis XVI, Marie-Antoinette et leur tête tranchée. Il admirait Napoléon pour Austerlitz et Louis-Philippe parce qu'il avait de belles jaquettes. Plus loin, il y avait le chapitre consacré aux grands progrès technologiques : le chemin de fer, l'automobile, l'électricité et le téléphone. Louis Pasteur le fascinait, Gustave Eiffel et les frères Lumière aussi. Plus loin encore, venait la Première Guerre mondiale, avec ses tranchées, ses canons, ses baïonnettes, ses avions, ses ambulances et ses bataillons africains enrôlés sous le «bel uniforme de la France». Sur une page salie par le passage des doigts, il revenait mille fois nous montrer un tirailleur des forces noires, dessiné ramassant le drapeau tricolore tandis qu'un autre, à quelques pas d'un jeune officier blond, s'avachissait, le corps cassé par un éclat.

Ces lectures picaresques m'ennuyaient. Je préférais lorsqu'il nous parlait de Cotonou, de son enfance au bord de la mer, de ses dimanches à la plage, de ses parties de pêche au capitaine; du quartier de Fidjrossè; du baby-foot du Café des arts; de sa maison de bambou le long de la voie ferrée; de son tonton Maurice porté sur la poitrine naissante des gamines de onze ans; du pick-up 404 de son tonton Roger; de la place de l'Étoile rouge sous la fumée bleu pigeon des zem [1]; de ses siestes à l'ombre des flamboyants au bord du fleuve Ouémé; de la sirène des navires s'épandant contre les môles du port

1. Motos-taxis, contraction de *zemedjan* qui signifie: «Emmène-moi vite!»

autonome ; des « trottineuses » et de leurs « belles fesses » qu'elles promenaient la nuit du côté du Jonquet ; de la machine à piler les condiments « très sonorifique » de maman Philomène ; des douze femmes de son père qu'il a toujours connu vieux, plein d'eczéma et inutile ; des maisons sur pilotis et au toit de chaume du lac Nokoué ; de la margelle noire et blanche des trottoirs qui le menaient à l'école ; du vendeur de meubles en rotin qui n'avait plus ni jambes ni bras, parce qu'il était passé sous un train ; des cérémonies vaudoues en plein jour dans les rues de la ville ; ou des Egouns, ces fantômes, ces esprits masqués, gantés, chapeautés, habillés de lourds vêtements et d'une cape de brocart qu'ils faisaient tourner comme des derviches.

C'était un vendredi soir, je crois, car le lendemain il n'y avait pas d'école. Je jouais avec trois Matchbox sous la véranda près du salon et, malgré le coassement assonancé des crapauds, j'ai entendu mon père lui demander sèchement de ne pas trop s'attacher à nous. Nous allions « rentrer, à la fin de l'année », dit-il, et « il ne pourrait pas venir avec nous ». « Sors-toi enfin cette idée de la tête ! » avait-il ajouté. Emmanuel a terminé son verre et s'est levé sans un mot. Sous le rayon de la lampe, ce soir-là, sa peau paraissait encore plus noire. En sortant, il se passa la main dans les cheveux puis il me sourit pour dissimuler sa peine ou quelque chose qui devait être de l'embarras.

Il est sorti et je l'ai regardé courir à petits pas, comme un boxeur sous la pluie. Je me suis senti coupable et concessionnaire de cet impossible tourment. Un jour, bientôt, nous allions les laisser, nous ne vivrions plus ensemble, nous serions loin d'eux. Dehors un couple de margouillats se piffrait de moustiques. La nuit et le froissement de l'ondée apportaient un semblant de fraîcheur. Alors je me suis regonflé comme une voile. La terre gorgée d'eau, le parfum ferreux de l'Afrique, le paysage d'ombres si belles, d'un jardin équatorial dans la nuit, les insectes s'esquintant au combat dès que la pluie cessait, cette intraduisible perfection de tout, me faisaient reprendre possession de moi. Quelque chose ou quelqu'un semblait-il m'adressait un message, me donnait rendez-vous, me rinçait le cœur à grande eau.

X

Yvonne, dans son enfance, avait été jetée en bas du monde. Elle savait, depuis, le prix de tout, l'éphémère des choses et craignait que je devienne plus tard un de ces adultes attachés à de mauvais besoins. Elle avait en elle tout ce qu'une bonne âme peut contenir. Elle détestait le drame autant que le chagrin et s'efforçait chaque jour de me révéler l'inépuisable chaleur de la vie. Elle attirait mon attention sur ce qui était beau, délicat, intelligent et donc essentiel aux desseins d'une existence bien fichue. Elle savait quitter ses peines, ses craintes et ses tracas aussi vite que l'on froisse un brouillon noirci de phrases inutiles. Elle s'était fabriqué une poésie de boîte à bonbons, un cabinet de curiosités somatotrope sur les étagères duquel s'encaquaient de menus plaisirs. On y trouvait, par exemple, une suite pour violoncelle – une de celles qui s'échappaient le soir en rampant sous la porte du bureau de mon père; un trait de soleil franc écartant les rideaux du matin; le plaisir des draps de coton propres; le feu de la sauce pili-pili sur la langue sitôt adouci par le foutou plantain; les coupures d'électricité, l'éclairage à la bougie, et la légèreté des ombres cireuses dans la fumée du suif; les ciels mauves de l'Afrique; ces moments de chaleur floue à attendre assis sur un pagne l'arrivée d'un bac, dans le bruit sourd de son moteur, de son palan et celui rebondi de ses rampes jetées sur la berge pour le déchargement des autos; les beaux reflets de l'huile suintant de la coque et surnageant sur les eaux sombres tout autour; le jus de coco bu dans sa noix, dégoulinant du menton et courant jusqu'aux coudes; l'air brassé sous les ventilateurs tremblants, voilés, patriarcaux et grinçants au plafond des anciennes demeures, des écoles, des hôpitaux et des bâtiments administratifs hérités de la coloniale; l'odeur du pain chaud (le meilleur du monde) qu'elle achetait chaque jour dans une guise de boulangerie, une simple cabane de planches posées contre un mur pisseux sur lequel était écrit «Défense d'uriner sous peine de gifles» et puis, plus bas, en lettres distordues «Le grand Séraphin, docteur de montres, sait faire plaisir aux dames!»; les enveloppes à bord bleu-blanc-rouge et la finesse des lettres écrites sur «papier avion», venues de France et qui avaient conservé l'odeur de l'appartement de mes grands-parents, rue Lamblardie; le cliquetis rafraîchissant des ciseaux du tailleur ambulant; les aboiements d'un calao, d'un trogon narina ou le chant arc-en-ciel d'un martinet, d'un courvite isabelle, ou d'un gobe-mouche à collier; et bien sûr l'incomparable excitation d'un départ en voyage – la veille et ses préparatifs, les bagages et l'agencement du coffre, au petit matin, dans la beauté du jour.

XI

« Attendre » est l'un des verbes du voyage. Il y
en a d'autres, bien sûr : partir, s'en aller, rencon-
trer, marcher, disparaître... La vie a des verbes
pour tout. Depuis l'école on nous apprend à
les classer en trois groupes et nous avons bien
tort. Leurs terminaisons devraient davantage
s'accorder à leur genre et à leur caractère. Nous
y gagnerions en poésie et nous serions un peu
moins contraints par l'esprit méthodique du
métalangage. Il y aurait, pour commencer, les
verbes spontanés et un peu singes de la petite
enfance ; ceux dont les adultes ricaneurs pré-
tendent qu'ils n'existent pas et les corrigent en
les rendant moins beaux. Viendraient ensuite
les verbes espiègles, effrontés, chahuteurs et
turbulents qui s'attachent au jeu et qu'on utilise
quotidiennement entre six et douze ans. On les

reconnaît de loin car ils ont souvent du rouge sur les genoux, un ballon de foot sous le bras, un vélo déglingué, une poupée qu'ils tiennent par les cheveux et des socquettes qui tire-bouchonnent. Je les aime bien ceux-ci, car ils sont pour la plupart tout à fait désobéissants, boudeurs et déraisonnables. Ils s'affirment, ils vont d'un extrême à l'autre et, du matin au soir, on sent que la vie pousse en eux. Suivraient ceux de l'adolescence. Plus compliqués car ils oscillent entre l'hystérie et la mélancolie. Ils fument en cachette et en faisant des ronds. Ils pouffent, soupirent, se prononcent à l'envers, claquent les portes, s'enferment et se trouvent nuls... Ils font de la mobylette sans casque aussi, ne se lavent plus les cheveux et se tiennent sur leur chaise bossus comme des noix de cajou. Puis arriveraient ceux de l'amour, qui se rencontrent au lycée, en faculté, au travail, en vacances, au camping, en boîte de nuit ou chez des amis. Ils se prennent dans les bras et se tiennent par la main. Ils passent des heures dans la salle de bains, s'invitent au restaurant et s'offrent des fleurs. Et puis, ils se chuchotent et se soufflent dans le cou d'autres verbes : les verbes du désir, les verbes de l'avenir, ceux de l'éternité et ceux des promesses intenables... « Mais attention ! » prévenait Musset, car avec eux on ne badine pas. Au mieux ils rougissent pour un oui ou pour un non, se «transportent», se choisissent des alliances, s'envolent pour Venise ou les Maldives, se font construire «un petit nid douillet», vont chez Ikea et réussissent leur histoire. Au pire, ils s'explosent le cœur, brisent leur vie et s'enfoncent pour toujours dans l'infecte nostalgie ou dans un chagrin d'une noirceur magistrale.

La liste est encore longue : on peut y ajouter ceux de la musique car ils adoucissent les mœurs, ceux de la peinture, de la littérature parce qu'ils améliorent la vie, et ceux de la science qui nous l'explique ou la prolonge ; ceux de l'ignorance qui conduisent à la peur et ceux de la peur qui conduisent au pire.

Et puis enfin, sur les dernières pages du Bescherelle, se trouveraient les verbes de la mort, les verbes posthumes, ceux qui fleurissent la mémoire, ceux prononcés par les autres, sur le parvis d'une église ou dans l'étude d'un notaire, ceux que l'on grave en épitaphe sur un marbre de Theux ou un granit rose et qui, paradoxalement et d'un certain point de vue, rejoignent souvent les verbes du voyage.

XII

« Si mon père était devenu l'Africain,
par la force de sa destinée, moi, je puis
penser à ma mère africaine, celle qui m'a
embrassé et nourri à l'instant où j'ai été
conçu, à l'instant où je suis né. »

J.M.G. Le Clézio, *L'Africain*

J'ai longtemps cru que mes parents aimaient voyager. En réalité, mon père aimait conduire et ma mère préparer des sandwichs – ce qui n'est pas tout à fait la même chose. Pour ces excursions et ces pique-niques en brousse, elle avait acheté un équipement blixenien composé de nappes de coton écrues, de thermos caparaçonnées d'osier, de trois ou quatre chaises en toile et d'une malle-panier au couvercle grinçant, doublé de tissu écossais replié en petites niches au fond desquelles étaient sanglés, grâce à des lanières de cuir, les couverts, quelques assiettes de porcelaine, un service de verres à vin et un autre pour le thé. On aurait pu se croire dans l'un des chapitres de *La Ferme africaine*... Il ne manquait que le coucher de soleil sur «les vastes terrains de chasse qui s'élèvent jusqu'au Kilimandjaro», Robert Redford allongé dans l'herbe, un peu négligé dans sa veste saharienne, le gramophone jouant Mozart et son concerto pour clarinette, ainsi qu'une compagnie de houseboys kikuyus gantés, prenant soin du feu, des fusils et des disques Pathé. «*I had a farm in Africa, at the foot of the Ngong Hills*», avait commencé par écrire la baronne Karen von Blixen-Finecke. Et puis plus loin, ces phrases qu'il faut lire avec dans l'oreille le port de verbe et la belle voix lasse de Meryl Streep : «L'altitude combinée au climat équatorial composait un paysage sans pareil. Paysage dépouillé, aux lignes allongées et pures, l'exubérance de couleur et de végétation qui caractérise la plaine tropicale en était absente : ce paysage avait la teinte sèche et brûlée de certaines poteries.» Plus loin encore elle continue : «Quelques aubépines vieilles et rabougries surgissaient de place en place dans la plaine dont l'herbe sentait le thym et le piment ; l'odeur en était parfois si forte qu'elle prenait aux narines. Les fleurs des prés, les lianes de la forêt étaient en général minuscules, comme celles des plantes grasses qui fixent les dunes. Pourtant, au début de la saison des pluies, on voyait fleurir différentes variétés de grands lis odorants. Il y en avait à perte de vue, libres et fiers comme la nature de ce pays. » Et toujours sur le même ton : « La découverte de l'âme noire fut pour moi un événement, quelque chose comme la découverte de l'Amérique pour Christophe Colomb, tout l'horizon de ma vie s'en est trouvé élargi. » Il faut reconnaître que ces quelques phrases surannées et d'une simplicité parfaite en disent long. Mon père – pourtant chasseur dans sa jeunesse – n'a jamais eu les mêmes charmes que Denys Finch Hatton, et ma mère, elle, s'est toujours étonnée que l'on puisse trouver quelque beauté à l'Afrique... Par ailleurs, nous ne vivions pas au Kenya et nous ne possédions ni ferme d'élevage ni plantation de café. Quant à nos pique-niques – car la chaleur à midi était proprement insupportable –, ils se terminaient pour la plupart à l'intérieur de la Renault 12, toutes vitres remontées et dans le frais de la climatisation que mon père poussait au maximum. Nous nous passions le paquet de chips et nous décortiquions nos œufs durs au-dessus d'une assiette de poulet froid posée en équilibre sur nos genoux. Néanmoins, je dois dire que j'ai aimé passionnément ces escapades car rien ne se passait jamais comme prévu. Une panne, un pneu que l'ondulation de la piste avait fait éclater, un morceau de route absent de la carte, un horaire de bac qui venait de changer, ou un gérant d'hôtel qui déménageait à la cloche de bois, rendaient les choses moins prosaïques, plus lumineuses et faisaient de nous des personnages un peu Gilles, à qui l'Afrique offrait de se dégourdir. Ici, l'horizon de ma vie s'en est trouvé élargi. Mieux, ce pays m'en ouvrait d'autres. Des neufs, des adjuvants et des salubres. Il me donnait le goût de l'ailleurs – ce concept taillé, certes, comme un costume trop grand mais dans les poches duquel s'emportent deux malles cabine – et ce sentiment très complexe, fascinant, doux-amer, d'être pour toujours un étranger chez soi.

J'aimais ce moment où, après des heures de piste avalée entre deux murs d'herbes hautes, sèches et déjetées, nous arrivions dans un village ou sur une petite place de latérite qui servait à l'accostage du bac. Mon père stationnait la voiture puis ouvrait le capot. Emmanuel, avec lui, vérifiait les niveaux, tandis que ma mère et Yvonne dépliaient de grands pagnes à l'ombre d'un badamier, d'un filao poussiéreux, d'un arbre à pain ou d'un cardinalier, dont on écossait les graines érubescentes pour s'en faire des billes et les filles des colliers d'Indiennes.

La terre est rouge
Le ciel est bleu
La végétation est d'un vert foncé
Ce paysage est cruel dur triste malgré la
variété infinie des formes végétatives
Malgré la grâce penchée des palmiers et les
bouquets éclatants des grands arbres en fleurs
de carême

aurait écrit Blaise Cendrars, s'il avait été avec
nous, entouré de ces enfants qui réclamaient
à mon père, un sou, un Bic, un outil ou une
cigarette. Leurs mères en boubous de tissus
omnicolores, superposés et d'un dépareillement
somptueux, vendaient à la mienne des paniers
ansés de cuir et sillonnés de joncs aux couleurs
brûlantes ; des calebasses qui s'emboîtaient
comme autant de poupées russes ; des bananes
racornies car frites dans l'huile de palme ; des
piments jaunes et charnus ; du poisson fumé et
du gombo qui avait séché sous les rayons d'un
soleil humide et blanc. Je me souviens de négo-
ciations longues, chantantes et monotones, non
pas sous le ciel bleu de Cendrars mais sous un
autre qui était ici plus gris, plus irradiant, moins
respirable. Je revois le regard lézard des anciens
qui nous observaient par-dessous, en silence,
assis ensemble sur des tabourets bas, à l'écart et à

couvert d'une tôle ondulée défoncée, d'un arbre à palabres tricentenaire ou d'un parasol publicitaire vert usé de la compagnie Air Afrique. Dans nos jambes, les mômillons subjugués écoutaient leurs mères sans broncher. Au départ du bac, les véhicules étaient garés en désordre, boiteusement et de guingois. Elles avaient le nez ou le cul planté dans une fosse, un massif de bambous ou le trou d'une décharge fumante. Des portières ouvertes s'échappait le dernier tube d'Eboa Lotin, de Papa Wemba, d'Espérant Kisangani ou une rumba du Seigneur Tabu Ley. Sous la caisse des camions aux larges pneus renflés de hernies, siestaient leurs équipages, allongés sur des nattes, des palettes ou de grands cartons dépliés. Tantôt quelques jeunes gens s'empoignaient par le T-shirt, se secouaient sévèrement et menaçaient de se «tuer normal», pour une histoire de bagages «gâtés» dans un taxi-brousse. Tantôt ils sifflaient les filles qui passaient chargées de linge, de seaux de charbon ou de racines de manioc. Ils disaient: «Eh petite sœur tu veux danser?», «Mademoiselle, vous êtes belle comme personne ne connaît ça!» ou «Bonjour, jolies fesses, si tu veux j'ai des cadeaux pour toi!» Ils leur servaient un baratin inspiré, théâtral et drôle, en retour duquel elles répondaient en riant ou en rejetant simplement la tête en arrière et leurs propositions d'un geste de la main qui voulait dire à peu près : « Arrête, impoli, ça c'est pas façon ! » C'est sur le bac de Jacqueville, alors que nous étions accoudés à la rambarde, que j'ai vu la première fois Yvonne pleurer. Dans la fumée du gasoil et près du poste de pilotage, cinq adolescents jouaient du tambour, tandis qu'un chef, une montre en or au poignet, semblait marquer la mesure avec une « queue de vache » qu'il tenait dans la main droite. Elle pleurait en silence, en comprimant dans sa main un mouchoir. Je l'ai toujours connue avec ce mouchoir impeccablement propre. C'est avec lui qu'elle me rafraîchissait, m'essuyait le coin des lèvres ou me nettoyait la terre des genoux lorsque je m'étais écorché. Elle le portait en permanence sur elle, à l'intérieur de son boubou, grâce à un coin de tissu qu'elle repliait ingénieusement, puis nouait pour s'en faire une poche. Elle y rangeait son peu d'argent – car elle n'avait pas confiance dans les banques –, une photo très abîmée de sa mère et un échantillon de parfum qu'elle rechargeait régulièrement aux flacons bon marché qu'elle achetait sur les trottoirs de Yopougon. Yvonne était une jolie femme, intelligente, sensible et d'une pudeur magistrale. Une fois ses yeux essuyés, elle m'a souri et poussé gentiment du coude. Elle a chassé de la main une mouche qui nous en voulait et m'a demandé, un peu émue, de ne pas la regarder comme ça, car sinon elle me

donnerait aux crocodiles qui dormaient là-bas.
Je l'ai prise par la taille et je l'ai serrée aussi fort
que j'ai pu. À travers le tissu de son boubou, je
sentais la bonne odeur de sa peau et de petits
hoquets car elle pleurait de nouveau. D'une main
elle m'a caressé les cheveux et de l'autre elle m'a
indiqué les berges d'une île. Elles étaient piquées
de buissons bas, de joncs mornes et d'herbes
dorées.

« Tu vois cette plage ? me dit-elle. Regarde
bien, ils sont de ce côté, longs et noirs, ils dor-
ment comme du bois mort. »

J'ai regardé mais je n'ai rien vu, sinon quelques
martins-pêcheurs à la surface de l'eau et de
grands échassiers couleur café dans le ciel palu-
déen. Ils volaient en direction du nord. « Eux
aussi, ils ont dans l'idée de quitter l'Afrique »,
a-t-elle ajouté les paupières gonflées et le blanc
des yeux rougi par la peine.

XIII

Dès les premières pluies de décembre et jusqu'au mois de juillet les pistes des plaines de la réserve de la Comoé étaient impraticables. Le moindre filet d'eau ruisselant des monts Boutourou, Gorohui, Pelekaï, Kourou, Walébé et Yéyéla se transformait en torrent, en point d'eau, en marais. Il n'était possible de traverser ce parc d'un million d'hectares qu'à d'autres dates et la vitesse autorisée était de quarante kilomètres à l'heure. Devant nous avançaient tantôt des paysages de forêts bleues ou presque noires, tantôt une savane sèche et piquée d'impressionnantes termitières qui montaient vers le ciel comme des minarets de terre rouge.

À la Comoé, nous avons vu des buffles près du Bawé, des babouins, des civettes, des mangoustes, un groupe d'éléphants non loin des karités, la bulle sombre d'un hippopotame émergeant de l'Iringoun, une famille de phacochères au petit trot, des bubales, des ourébis, des céphalophes de Grimm fragiles et effrayés par un rien, mais jamais de lions. Ni de panthères, ni de léopards d'ailleurs. Il paraît que certains les entendaient, parfois, chasser la nuit aux abords de Kakpin.

Je ne me souviens pas d'avoir été touché, à cet âge, par les lignes développées, flexueuses et lascives des paysages de savane. Ni même par ses couleurs. Ailleurs oui, mais pas à la Comoé. Le rouge bois-brésil de la terre, les verts, les jaunes et les ocres enflammés s'effaçaient ici dans un nuancier de gris bêcheurs, un peu jaloux et donc assassins. Et puis l'espace était trop grand, trop infini pour retenir l'audace des couleurs africaines, leurs forces et tout ce « sucre » qu'elles contenaient. Elles s'y diluaient, elles s'évanouissaient, elles fondaient comme un sirop de fruits dans un verre d'eau. Mais sans doute étais-je encore trop jeune pour ressentir cette forme d'exotisme. J'étais arrivé trop tôt, bien avant l'heure. Plus tard, j'apprendrais qu'il existe dans un paysage neuf des choses plus fortes, plus dures, plus adamantines que le paysage lui-même. Il arrive que ces choses-là s'ignorent ou qu'elles soient endormies, muettes, voilées, quasiment imperceptibles. Elles ne s'ouvrent qu'avec du temps, brièvement et à l'occasion d'un heureux concours.

XIV

Ce jour-là, nous étions à Boundiali, en pays sénoufo. Ma mère avait lu que les villages alentour étaient réputés pour leurs forges, le travail remarquable de leurs vanniers, celui de leurs tisserands et celui des teinturiers qui peignaient sur le coton à l'aide d'une infusion d'herbes et de boue des motifs d'une beauté extravagante. Et puis il y avait les potiers. J'ai passé mon enfance chez les potiers. Certaines femmes aiment les fourrures, les jolies voitures ou les diamants. D'autres le sport, la poésie, la politique, le débat d'idées, le cinéma, le théâtre, l'opéra, la danse, la physique, la recherche médicale ou l'économie... Pour ma mère et ma tante, c'étaient les poteries... Chaque été, nous passions les vacances ensemble, dans l'Indre, le Cantal, le Gard ou dans quelques jolis villages cévenols. Pas un seul atelier ne leur échappait. Je nous revois, ma sœur, mes cousins et moi, des après-midi entières dans la fraîcheur d'une grange ou d'une bergerie en pierres sèches qui sentaient l'ardoise, le salpêtre et la biquette. Nous étions au milieu de piles d'assiettes, de tasses, de bols, de saladiers bleu paon, pain brûlé ou jaune de Smyrne, tandis qu'un grand barbu en pull-over de laine vierge nous regardait par-dessous avec des yeux inquiets. Il nous expliquait le fonctionnement de son tour, de son four, puis le foulage de la silice, de la marne et de l'argile, qu'il fallait enfin laisser pourrir quelques semaines sinon plusieurs mois. Nous l'écoutions poliment en prenant l'air pénétré et en gardant bien sagement les mains derrière le dos puisqu'il était écrit sur de petites affichettes de carton recyclé : « Ici, on touche avec les yeux », « Qui casse, paie » ou bien « Attention, je suis fragile ». Nous l'écoutions certes, mais nous n'en pensions pas moins, car nous savions que dans ces endroits où l'on nous servait de la liberté, de la nature, du « retour aux sources » au kilo, on n'aimait d'habitude et finalement pas tant les enfants.

À Boundiali, nous logions au Dala. C'était un hôtel qui appartenait à la communauté villageoise et dont les chambres étaient de petites cases rondes et festonnées d'humidité. Elles s'organisaient en étoile autour d'une place madrée par les ombres immobiles des grands manguiers. Elles étaient reliées entre elles par des sentiers de sable sinuant entre des bananiers sauvages, sans régime et presque noirs, le rouge pousse-au-crime des flamboyants, de lourds bougainvilliers pliant sous leur propre poids, le vert fumeux des tamaris à tronc coudé, des noix de coco à demi ensevelies et germées çà et là d'une première tige vert tendre, le feuillage diaphane des eucalyptus mellifères et ces gros buissons de fleurs jaunes dans lesquels nichait une société vrombissante d'oiseaux nerveux et minuscules. De tous les environs, des troupes de danseurs caparaçonnés de cuir, de cuivre, de raphia et de cauris venaient se produire dans la poussière de cette place qui, vers 17 heures, devenait d'un rouge ardent et presque lumineux. Elle était soulevée par la plante de leurs pieds qui frappaient le sol au rythme incantatoire et tonicardiaque des tam-tams, des sonnailles, des xylophones, des calebasses à graines, des olifants, des flûtes et des balafons, tandis que les touristes prenaient l'apéritif ou dînaient sur la terrasse d'une case bien plus grande qui servait de bistrot, de restaurant, puis de dancing un peu coquin, plus tard dans la nuit.

Nous avions passé la journée à Kouto, situé à quarante-cinq kilomètres au nord, sur la route du Mali. Je revois encore ce petit village, assis dans le creux d'une belle vallée gaufrée. Il vivait essentiellement de la culture du coton et de ses plantations de teck. Dans ce paysage sous narcose, Kouto était divisé en deux par une piste fourbue qui le traversait en ligne courbe. D'un côté, il y avait le quartier musulman, avec ses maisons de terre rouge conglutinées, repliées sur elles-mêmes, sur leurs ventres, un peu comme le croyant à l'heure de sa prière. Derrière de lourdes portes en bois chevillé, la vie se passait tout entière dans une cour en terre battue. En face se trouvait le quartier sénoufo. Lui s'étendait autour d'une place à l'ombre de laquelle les tisserands venaient travailler. Ils étaient assis en tailleur contre le tronc des manguiers. Ils tenaient leurs écheveaux coincés entre les genoux, embobinant ainsi du fil brut en pelotes, qu'ils avaient préalablement teint de couleurs impérieuses. Plus à l'est, des baraques de ciment mal gâché ou de tôles distordues remplaçaient les cases traditionnelles jusqu'à l'orée de jardins vivriers, puis à celle d'un paysage de collines et de vallons tellement beaux qu'il semblait sur nous vouloir faire déborder le monde. Deux raidillons très étroits servant à mener les chèvres passaient sous de grands nérés dont les gousses donnaient une poudre jaune, protéinée, et les graines, l'indispensable soumbala[1]. Il y avait aussi

---

1. Épice utilisée en Afrique de l'Ouest.

des karités couverts de fruits et de petits pom-
miers-cajou très beaux avec leurs cimes évasées
et leurs branches basses qui parfois touchaient le
sol et empêchaient le passage. Sous un anacardier,
mon père s'est arrêté pour me donner de l'eau,
boire à son tour et allumer une cigarette dont
la fumée restait contre nous. Puis il m'a dit que
j'avais de la chance d'être là. « Au bon moment. »
Les générations avant la mienne mouraient sans
avoir vu la moitié du monde et celles qui suivront
ne verront toutes qu'à peu près et partout la
même chose… Il m'annonçait la fin de l'exotisme.
Il me conseillait d'en profiter et de me fabriquer
de bons souvenirs. J'ai, depuis lors, le goût du
tabac, des lumières, des ombres, des fleurs, des
arbres, des fruits exotiques et des hommes qui
s'en nourrissent.

XV

La mémoire est une drôle de chose. Elle com-
pose, elle finasse, elle trahit, elle n'en fait qu'à
sa tête. Elle se fiche un peu du monde. Là-bas,
elle gravait sur ses marbres des détails aussi
extravagants et dérisoires que le motif d'un
T-shirt Daktari choisi dans le catalogue des Trois
Suisses ; le ronflement d'un essaim de sauterelles
sur un champ de maïs, de mil ou de sorgho ; le
grincement élégiaque et tendre d'un pont de liane
qu'il nous fallait traverser ; la voûte polychrome
de l'aurore au-dessus de la forêt pluviale et ce
soleil lavé qui perçait peu à peu la breloque noire
de ses branches, de ses feuilles et de ses lianes,
comme dans les décors d'un théâtre chinois ;
l'abominable fourrure synthétique d'une peluche
caramel à laquelle j'essayais en vain de m'attacher ; l'impossible toucher des ardoises en carton

bouilli offertes par le ministère de l'Éducation ivoirien; le refrain de *L'Abidjanaise* qu'on nous faisait répéter puis chanter dans la chaleur et au bord des routes à l'occasion du passage d'un chef d'État étranger; le goût du beurre ranci, oublié sur le pont d'un navire, un dock, dans un hangar brûlant ou tout au fond d'une remise et qui finissait pourtant sur notre table et nos tartines du matin; celui du mouton grillé comme ils le servaient dans les maquis par terre, celui du sucre lorsque l'on croquait directement dans la canne; celui des jus de tamarin ou celui des feuilles de goyavier préparées en infusion par Yvonne pour soigner nos diarrhées; le papier kraft ficelé et couvert de cachets mauves des colis expédiés de France par ma tante Anne-Marie; le restaurant La Perle d'Orient, ses crevettes en beignets, le bois laqué de ses meubles, les plafonniers rouges tout en pompons, ficelles et dragons furibards, sa terrasse couverte d'hibiscus qui donnait sur un morceau de lagune absolument durassien, et sa jeune patronne en cheongsam[1] de soie ou de coton fleuri, avec ses longs cheveux nattés et son merveilleux sourire dont je suis, aujourd'hui encore, un brin amoureux; ou l'atmosphère carnavalesque des soirs de coupures de courant, le

---

1. Robe chinoise dont la coupe près du corps fut inventée et très à la mode dans les années 20 à Shanghai.

trait des lampes torches dans la nuit, le parfum suave des bougies, la touffeur et l'élégante noirceur des silhouettes dans l'obscurité parfaite du quartier...

Pour d'autres raisons, ma mémoire laissait s'évanouir le martèlement mécanique des tables de multiplication répétées le mercredi matin, allongé sur mon lit, le cahier sur le ventre et les yeux au plafond ; la liste délirante des départements et chefs-lieux français, les fleuves avec leurs sources, leurs affluents et tous leurs confluents ; la poésie de Maurice Carême et celle de Raymond Queneau ou, plus grave – en tout cas pour moi –, le nom des arbres bleus, gigantesques, sublimes et fantomatiques qui retombaient sur la piste de la Marahoué, celui des perroquets à queue rouge hurlant comme des enfants, ou celui des beaux hannetons dorés capturés par Emmanuel et que l'on observait à la loupe, en fronçant les sourcils ou en se tenant le menton, comme le faisait Pasteur découvrant la rage dans les dernières pages de mon livre d'histoire.

Alors comme un petit notaire bienveillant, je prenais l'habitude et le goût de noter le lacis de nos voyages, le nom des arbres, des fleurs, des rivières, des routes et des oiseaux. J'étais scrupuleux, je m'attachais aux détails, je veux dire aux horaires, au temps qu'il faisait, aux distances et parfois à l'humeur des gens. Je prenais soin de mon cahier Exacompta et du stylo quatre couleurs en acier brossé très chic que m'avait offert mon père. Les billes roulaient parfaitement. Elles ne bavaient pas et ne déchiraient jamais le papier. Je commençais mes phrases par de belles majuscules rondes et bien bouclées. Elles étaient impériales, presque victoriennes, sages comme de petites Anglaises couvertes de rubans. Elles faisaient sérieux, même lorsque l'une ou l'autre parfois tremblait un peu ou manquait d'équilibre. J'écrivais en bleu, je soulignais deux fois les mots exotiques ou ceux que je trouvais compliqués. Le noir était réservé à la géographie, au nom des villes, des fleuves et des régions. En rouge, je consignais le nom des animaux et celui des insectes. Le vert était pour les arbres, les plantes et les fleurs que m'enseignait Emmanuel : le manguier à ramilles couvertes de feuilles rose chocolat ; le flamboyant écarlate ; le cocotier du bord des plages ; le fromager dont le bois servait à la fabrication d'emballages à fromage et qui devenait le piroguier lorsque dans son tronc on creusait une pirogue ; le ficus et l'hévéa plein de fruits tachés comme des mappemondes ; le pommier d'eau avec ses fleurs à pompons et ses drupes sang-de-bœuf en forme de petites poires ; l'arbre à pain et celui du voyageur avec ses graines turquoise et son feuillage en queue de paon ; le filao, d'un beau gris, léger, hispide et frissonnant; le palmier à huile couvert de lichen; l'eucalyptus; le badamier, témoin réchappé du colonialisme et de ses villes mortes – Grand-Bassam, Sassandra et Grand-Lahou; le papayer, le cacaoyer, le colatier et le goyavier; l'avocatier, le bananier, le croton et la canne à sucre; le bougainvillier – qui est en fait une liane taillée en arbuste –, le frangipanier et l'hibiscus que l'on voyait surtout dans ces petits édens à piscines autour des villas de Cocody ou de la Riviera.

Dans une langue gauchie par les spontanéités de l'enfance, je décrivais Bingerville, le jardin botanique, ses pelouses un peu «façon-façon», ses allées frangées d'arbres, le palais du gouverneur émietté et jauni par le temps, l'hôpital psychiatrique où les médecins-chefs faisaient encore appel à l'aide des prophètes harristes célèbres pour leurs connaissances des pathologies et l'efficacité des soins qu'ils prodiguaient aux malades. Puis je parlais d'un morceau de route qui se transformait en piste ourlée et conduisait jusqu'au bac graisseux d'Eloka. Il était lent, il fallait être patient. Il manœuvrait péniblement. Il fléchissait sur bâbord. On le voyait arriver de loin, chargé d'hommes, de chèvres, de ballots, de pétrolettes, de taxis-brousse et de «mille-kilos». Il traversait le bras de lagune en recrachant une fumée tout à fait sidérurgique et à l'arrivée, dans l'eau morveuse du rivage, des chiques suintantes de mazout collant.

Pour Jacqueville, je racontais le passage du canal de Vridi. La pinasse à bord de laquelle nous embarquions, l'eau que le moteur déchirait, l'interdiction d'y tremper les mains en les laissant filer le long de la coque. Ma mère et ses craintes : les crocodiles, les serpents d'eau, les larves, les vers, les amibes, les champignons, les salmonelles... Un petit zoo assassin, sournois et invisible qui lui gâchait le séjour. Les enfants sur la berge qui s'enduisaient de vase. Mon père et ses photos d'oiseaux invisibles, planqués dans les herbes et les arbres de la rive. Plus loin, je notais la route de Dabou, et plus loin encore, l'église du bon père Papa Novo avec tous ces gens venus d'Abidjan dans la nuit afin d'assister à la première messe du matin. L'odeur du poisson grillé, des feux de camps et de l'air marin. La bonne humeur des femmes et leurs éclats de rire dans le fracas incessant de la vague. Le gris subtil de la mer se mêlant à celui du ciel et qui supportait les navires jusqu'à Gibraltar. Et puis ce bâtiment morbide avec ses cellules en ruine qui datait de la traite négrière. J'aurais pu raconter que Dabou avait été une escale importante, un camp abominable, dans lequel furent déportés les esclaves avant de rejoindre l'Amérique. Mais à cet âge je me figurais mal le supplice subi par ces hommes, ces femmes et tous leurs enfants. Les gravures soignées de notre manuel d'histoire représentant des jeunes Noirs, certes enchaînés, mais solides, beaux et bien portants, versées aux propos désincarnés de Mme Morin, ne nous aidaient pas à prendre la mesure de cette tragédie. Au contraire elle s'édulcorait, elle perdait de sa dureté et toute son effroyable vigueur. Alors qu'en était-il de la vérité ? Et qu'en était-il de nous dans cette vérité ? Qui se chargerait de nous apprendre que nous étions les arrière-arrière-petits-enfants de ces marchands d'hommes monstrueux, les petits-fils des colonisateurs ridiculement casqués de liège et aujourd'hui les enfants de la première génération d'expatriés ? Personne ou réellement pas grand monde.

« Il faut que tout change pour que rien ne change », écrivait Giuseppe Tomasi di Lampedusa et je lui donne raison. Nous avions là, en 1978, sous nos yeux d'enfants, dans les conversations d'adultes, dans l'ensemble de nos rapports et parfois même dans la hiérarchie de nos jeux, l'illustration parfaite de cette phrase. Nous avions aboli la forme parce qu'elle n'était plus soutenable, mais le fond restait le même : nous aimions trop l'argent et les Noirs nous faisaient encore peur.

Pour Yamoussoukro, puisqu'il s'agissait de la ville du président Houphouët-Boigny, je m'appliquais. Je soignais mes pages, mes notes, je choisissais les mots, je prenais les choses à cœur, je manquais d'humour, de recul, je me ternissais comme un petit préfet. Je devenais pompeux, à l'image de cette ville finalement rigoriste et laide. Je la revois quadrillée d'avenues d'un gigantisme ridicule, piquée de bâtiments prétentieux, de banques, d'hôtels ennuyeux, d'une pharmacie incroyablement luxueuse, d'un golf à neuf trous, d'esplanades désertes et d'un plan d'eau artificiel dans lequel des agents en short de travail jetaient par-dessus les joncs des poulets vivants, aux fins de nourrir les crocodiles présidentiels et de distraire les touristes.

Hormis le marché du quartier de Soukoura, surabondant d'objets, de meubles en bois sculpté, de pagnes, d'instruments de cuisine ou de musique, d'épices, d'onguents, de philtres et d'amulettes, sur Bouaké je n'ai pas écrit grand-chose. Si, tout de même : derrière la mosquée, le quartier d'artisans baoulés s'appelait «Air-France» et cela m'avait amusé. Et puis j'avais essayé de dessiner au feutre la beauté frugale du monastère bénédictin dans lequel nous avions dormi. Il était au bout d'une piste cahoteuse, à une dizaine de kilomètres de Bouaké, sur la route de M'Bahiakro. Le dessin ne rendait rien. Les toits de chaume étaient de guingois, les perspectives de traviole et l'ombre des cocotiers s'en allait n'importe où. Au matin, devant une tasse de cacao sucré, sous un ciel faux-jeton et la dictée bienveillante de mon père, j'ai noté que les murs étaient en parpaings de terre pressée, les piliers, les sols et les plafonds en bois de bété, de teck ou de palmier-ban. J'écoutais, j'observais, je rêvais, je mûrissais comme un fruit. Bref, j'entrais en moi et j'essayais d'entrer dans le monde.

À Ferkessédougou, j'avais aimé la vieille mosquée aux murs de terre s'appuyant sur de lourds contreforts dont dépassait le bois sec des armatures. Elle avait une allure, un charme, une lumière, une poésie de château de sable, quelque chose d'accompli et d'éminent qui convoquait immédiatement l'imaginaire baroque des grandes épopées. Devant la porte, des dizaines de sandales ou de babouches ensemble par deux semblaient elles aussi absorbées dans quelque prière. Leurs propriétaires, en boubou brodé de fils d'or et coiffés d'un bonnet de dentelle pimpante, entraient puis sortaient mains sur les hanches, bedaine en avant avec cet air rasséréné que donnent à certains et pour quelque temps une heure de méditation ou un prêche bien ficelé. Peu de femmes voilées, hormis les Peules, dont les cheveux étaient couverts de pagnes désaccordés et soulignaient la finesse berbère de leurs traits. À l'ombre, se tenaient des vendeurs de bracelets en cuir, en cuivre ou en cauris, de noix de coco qu'ils décalottaient à la scie et de tapis de prière qu'ils proposaient en les effeuillant d'une main sur leur avant-bras. Sitôt la sortie de la ville, le paysage se déroulait comme un galon. Il devenait lumineux, nitescent et donnait l'impression d'avoir été reverni, rentoilé au canif par un ouvrier tout à son affaire.

Un ciel volumineux se reflétait sur l'eau laborieuse des rizières. Les champs étaient fleuris de coton blanc ou de pompons jaunes. Sur d'autres, on cultivait du café, des oignons ou des tomates que des jeunes femmes en débardeur et jupe Apollo[1] vendaient ensuite sur le bord de la route. Elles empilaient leurs fruits et leurs légumes en pyramides perlées, dans de belles bassines d'émail ou de plastique sorbet qu'elles alignaient en camaïeux de mauves, de verts, de jaunes, d'orange et de rouges.

À Gouessesso, sur le terre-plein séparant l'hôtel des Lianes du reste du village, j'avais été impressionné par la réserve d'histoires des griots. Leurs contes étaient ponctués de regards

---

1. Coupe à la mode qui rappelait la forme de la fusée américaine.

ronds ou de travers, de silences épouvantables, de bruits de bouche, de nez, de gorge ou de ventre qui tantôt imitaient le lion, tantôt le tambour, l'hyène, une volée de sagaies ou le grillon. Il y avait aussi les danseurs : ceux de Gan qui jetaient assez haut des fillettes en l'air puis les rattrapaient sur la pointe d'un sabre, et ceux sur échasses, avec leurs visages blancs maquillés comme de mauvais clowns, leurs pantalons d'Arlequin et ces coiffes mi-plumes mi-raphia qu'ils secouaient fiévreusement en hurlant comme des beaux diables.

À Soko, le patron d'un restaurant nous avait préparé un plat de viandes de brousse, autrement dit d'oiseaux et d'agoutis rôtis. Il nous avait raconté que les hommes d'ici avaient été changés en singes à coups de tisane, par un féticheur qui, au siècle précédent, souhaitait les protéger des massacres de Samory Touré. Puisque le Merlin était mort, sans avoir pu leur rendre leur condition d'hommes, les habitants s'occupaient de leurs descendants comme des frères. Ils vivaient là, en paix, s'épouillant dans la rue, entre les tables du restaurant ou sur les toits-terrasses en pisé. Ils les nourrissaient parfois à la cuillère, les soignaient comme des enfants, passaient tous leurs caprices et lorsque l'un venait à mourir, ils l'enterraient avec cérémonie et en pleurant comme s'il s'agissait d'un homme. Samory Touré était un marchand de sel et d'esclaves, probablement né aux alentours de 1830. Il fut tout d'abord chef de village, mais son caractère chamailleur l'incita à se constituer une armée. À force de batailles, de conquêtes, de complots, de meurtres, de kidnappings, de rançons, il devint kélétigui[1] et enfin almamy, autrement dit «prince des croyants». Pour lui tout allait bien. Il vivait tranquillement sa petite vie de prince des croyants. Certains jours, il menaçait un roi, un imam ou un marabout, d'autres jours il troquait des chevaux, des femmes, de l'or, des armes et de la poudre. Et puis les choses se gâtèrent: le capitaine Binger lui refusa l'aide matérielle qu'il demanda contre Babemba, son rival de toujours. Alors Samory Touré maria ses deux filles à Mango Mamadou et scella une alliance avec lui. Il devint plus fort, plus riche, plus en colère, plus dangereux encore. Il s'attaqua aux Français, avança vers l'est, brûla au passage les villages qui refusèrent de le suivre et devint le symbole de la lutte contre le colonialisme dans la région. Le 20 août 1897, son neveu Sarankéné tua un émissaire de la République. Pour la France, qui a toujours été moins regardante sur le sort qu'elle réservait à ses troupiers qu'à celui

1. Chef de guerre.

qu'elle destinait à ses hauts fonctionnaires, cette fois-ci c'en fut trop. Elle mobilisa l'armée, obligea Samory Touré à se replier vers l'ouest et le captura à Guélémou, au nord de Man, le 29 septembre 1898. Elle l'enchaîna, elle le déporta et il mourut deux ans plus tard d'une pneumonie mal soignée, en exil au Gabon. Les régions du Nord restèrent traumatisées, très appauvries et désorganisées par ces guerres. Elles accueillirent ainsi, sans opposition car sans autre choix, la colonisation décrétée le 10 mars 1893 par le gouvernement français. La Côte-d'Ivoire fut constituée et le capitaine Louis-Gustave Binger en devint son premier gouverneur.

À Kong, nous n'étions restés que quelques heures. La ville d'origine soudanaise n'offrait pas d'hébergement touristique, mais ses vieilles forges, ses maisons en forme de petits fortins et surtout les deux mosquées du quartier Barrola m'avaient bien plu. Leurs portes étaient d'un joli bleu ouvrier, leurs tours coniques servaient de minarets, leurs murs d'argile étaient hérissés de fines poutres et elles avaient été bâties sur de larges places capables de recevoir les marchés nomades et les troupeaux de brebis des bergers peuls de la région. Autrefois, cette ville était celle des lettrés, des fidèles, des forgerons, des tisserands et des caravaniers. Partout il y avait des fosses à indigo, au fond desquelles on teignait du fil. J'imaginais Binger suivi de sa troupe et découvrant la ville pour la première fois : alentour, une terre sèche et inculte, un soleil de guerre sur les épaules, les sacs à dos mal ajustés, les crosses des fusils frappant derrière les cuisses, les pieds brûlant dans la cosse rugueuse des brodequins, le drap lourd des uniformes, et soudain ces ruelles, ces arbres, un peu de fraîcheur, des puits, de l'eau, des maisons à terrasses cernées de jardins clos, de petites cultures familiales, du maïs, du mil et du tabac, une école coranique devant laquelle des enfants jouent ou psalmodient leurs sourates, des moutons, un chien, des chats, et le spectacle merveilleux des bassins bleu indigo, à plat sous un ciel gris-de-France et contre le rouge ferreux de la terre.

De Korhogo je n'avais pris que quelques photographies. Elles sont aujourd'hui d'un joli rose lavé et certains de leurs coins sont abîmés. On sait depuis la Bible que le temps des anges n'est pas celui des hommes. Il en va de même pour les images. Elles relativisent. Elles changent les équations. Elles empruntent d'autres échelles. Elles nous vieillissent parfois si fort, elles nous renvoient parfois si loin, elles ont le cœur si dur, que c'est à croire qu'elles nous en veulent de les avoir tout ce temps enfermées, sous la cellophane d'un album ou dans une boîte à cigares. Sur deux d'entre elles, on voit mes parents souriant et se tenant par la main : ils sont devant le palais royal sénoufo, puis à côté d'une statue en ébène dans le quartier de Koko. Sur une troisième, il y a Yvonne en débardeur blanc et ma sœur le visage couvert de crème solaire. Elles sont à l'ombre et dans la poussière d'une allée de manguiers merveilleux. Ma sœur prend elle aussi quelques photos. Elle avait un appareil de quatre sous, dont l'ampoule du flash était en forme de dé. Il tournait sur lui-même et boursouflait après usage.

Du côté d'Odienné, un petit lac enchanteur et des vergers de mandariniers, d'orangers, de pamplemoussiers, de goyaviers et d'anacardiers couraient jusqu'aux portes de la ville. Sur la route dangereuse de Bako, mon père doublait au pas d'interminables convois de camions. Ils peinaient dans la montagne et dégueulaient de fruits. Parfois, au fond d'un ravin, on apercevait la carcasse d'un bus avalé par la jungle ou celle d'un grumier écrasé par sa remorque et les billes qu'il transportait.

À Agboville, le vert tropical des bananeraies embrassait la piste, couverte par endroits d'une belle épaisseur de feuilles sèches ou de régimes abandonnés. Parfois, dans une clairière, des producteurs de bambous, de lianes et de rotins proposaient sous un regroupement de cabanons du Coca-Cola sans gaz, de la bière artisanale, de l'eau minérale jaunie, des brochettes d'oiseaux, des hamacs de corde, d'immenses fauteuils à la Sylvia Kristel et tout un bric-à-brac de meubles ou d'objets – cendriers, sous-verres, tables basses – d'un exotisme bonnet-de-nuit que l'on retrouverait plus tard, à Paris, dans les show rooms des « comptoirs » Pier Import.

Au nord-est, près de la frontière ghanéenne, à Bouna, j'avais été séduit par les soukhalas[1], avec leurs murs de terre, de bois et leurs terrasses couvertes d'herbes rousses. Elles étaient soutenues par des troncs d'arbres posés en contrefort. Les Lobis y faisaient sécher le linge, mais surtout ils y dormaient les nuits de grosse chaleur. Non loin de leurs maisons se trouvaient des greniers cylindriques et à toit de chaume. Ils y entreposaient du mil et du sorgho. Il y avait aussi des séchoirs sur pilotis, dans lesquels ils fumaient le maïs pour éviter qu'il pourrisse. Dans les cours familiales étaient posés de grands vases noirs à tchapalo[2] et de belles calebasses allongées dont ils se servaient pour transporter les poussins jusqu'aux champs.

1. Résidences principales des Lobis.
2. Boisson à base de mil et de sorgho, proche du cidre et de la bière.

Ils pouvaient ainsi les surveiller et empêcher la razzia des vautours inlassablement en chasse.

À Bondoukou, nous avions visité la maison de Binger au fond d'une cour lamentable et triste. Les murs avaient été noircis par la fumée de cuisine. Plus loin, il y avait celle de Boucary Touré[1]. Elle était plus grande et plus jolie avec ses deux étages soutenus par des poutres de borasse et son toit crénelé. De l'architecture soudanienne il ne restait que ces deux maisons puisque Samory Touré avait demandé à ses soldats d'incendier la ville. À l'ombre de sa façade, le gardien avait disposé des chaises de camping et invitait les visiteurs à s'asseoir. C'était un costaud en boubou, qui riait fort et distribuait des claques sur les épaules. Cette maison était devenue son théâtre et le sujet même de ses pièces. Il mimait l'attaque et l'incendie. Il roulait ses gros yeux, il imitait le hennissement des chevaux, le choc des sabres et le cri des femmes. Il dansait comme un feu en levant les bras très haut, pour nous faire comprendre que les flammes montaient jusqu'au ciel. Il se prenait pour Boucary Touré lui-même. Il nous regroupait, nous les enfants, et nous protégeait de son corps. Il disait aux soldats : « Je

---

1. Simple marchand de Bondoukou dont la maison avait été épargnée car il portait par hasard le nom d'un des chefs de guerre de Samory Touré.

suis Boucary Touré. Je vous souhaite bonne arrivée. Ceci est ma maison et voici mes enfants. Au nom du Prince des croyants, vous ne pouvez pas toucher à ma maison et vous ne pouvez pas toucher à mes enfants. Sinon le malheur vous frappera...» Les Sofas l'écoutaient, remontaient sur leurs chevaux et s'en allaient saccager ailleurs. Il avait l'air de se plaire dans ce rôle de patriarche débordant qu'il jouait à la Jacques Weber. Son spectacle était rodé, il prenait du plaisir, il en donnait, il séduisait son public, et « de toute façon, hormis les "mille mosquées" et l'ancien marché colonial de Kamagaya, il n'y avait pas grand-chose d'autre à voir à Bondoukou», avait confié à ma mère le couple de touristes très âgés assis à côté d'elle.

À San-Pédro je suis allé avec mon père. Il avait rendez-vous au bureau des douanes. Un de ses chargements de câbles était bloqué au port. Nous nous sommes levés dans la nuit car il s'agissait de faire trois cents kilomètres, le long de la côte. La route était goudronnée, mais elle ne permettait pas des vitesses excessives. Ma mère nous avait préparé un panier de provisions et, spécialement pour lui, une thermos d'où s'échappait une bonne odeur de café, de petit matin, de route à faire et de liberté. Ce jour-là, j'ai manqué l'école et, dans la voiture, je me suis assis devant. Sur place, nous avons été reçus par un homme frêle en chemisette blanche et dont le verre des lunettes cerclées laissait transparaître un regard franc, déterminé, bienveillant et d'une intelligence certaine. On aurait dit une sorte de Mohandas Gandhi ivoirien. Mon père et lui se sont bien entendus. Ils plaisantèrent, signèrent des papiers qui s'envolaient parfois dans le souffle des ventilateurs et frappèrent quelques coups de tampons sur un sous-main de plastique rouge. Puisque le problème était réglé, le Mahatma nous proposa de visiter un bateau. C'était un cargo noir et blanc qui ressemblait au *Karaboudjan* du capitaine Haddock. On y accédait par un escalier mobile posé contre sa coque dont les anneaux cliquetaient et crissaient dans la houle. Sur le pont, des marins sri-lankais et philippins travaillaient pieds nus. Certains portaient des casques de chantier orange, des T-shirts huileux, et d'autres s'emmaillotaient dans des lés d'étoffe bleu layette ou de simples salopettes en gros drap, comme celles des fermiers dans les romans de Steinbeck. La plupart avaient des dents en or. Elles leur donnaient des sourires lumineux d'épargnants joyeux. Tous avaient des mains très abîmées, auxquelles il manquait les ongles, parfois plus d'un doigt, et de grosses cicatrices violettes qui racontaient des histoires crucifiantes, d'engrènements, de

115

chaînes, de câbles mordants, de déferlantes et de ferrailles rouillées. Gandhiji nous accompagna sur un mikado d'escaliers qui s'enfonçait dans le tunnel purgatorial de la salle des machines puis remontait tout en haut, dans la lumière de la passerelle et celle du poste de commandement. Autour de la table des cartes, se tenaient deux officiers danois, avec de longs visages en chausse-pieds. L'un d'eux m'avait mis à la barre et me donnait des ordres en anglais que je ne comprenais pas mais qui faisaient bien rire tout le monde. Pour leur faire plaisir, je tournais la barre à tribord puis à bâbord mais j'étais timide et ce théâtre me gênait. Mon père, qui savait chez moi prévoir le moindre trouble, prétexta que la route du retour était encore longue et qu'il fallait partir. Bapu nous raccompagna à la voiture et chargea dans le coffre un pack d'eau minérale et un panier de papayes qui empestèrent l'habitacle et nous obligèrent à baisser les vitres jusqu'à Abidjan.

À la pointe Taki, je notai simplement : « plage Victory », « plage Monogaga », « baie des Sirènes » et « chutes de la Nawa ». La beauté de ces noms m'entraînait dans une illumination sauvage. Ils se suffisaient à eux-mêmes : décrire l'indolence des palétuviers sur la lagune, le velours mauve de la forêt, le souffle de la mer ou celui du bombardement de l'eau en cataracte, eût été trop en faire. J'ai toujours pensé qu'il fallait savoir reconnaître et goûter une belle toponymie. Certains collectionnent d'anciennes cartes postales, des tickets de métro ou des pièces de monnaie... D'autres de petits souvenirs aimantés représentant le Parthénon, le Christ du Corcovado ou la tour de Pise. Ils les collent sur la porte d'un réfrigérateur pour retenir une facture de cantine, une ordonnance médicale ou la liste des courses, mais surtout pour se donner l'occasion, plusieurs fois par jour, de repartir à nouveau. Moi, je collectionne les noms de lieux. Je les classe et je les range dans de grands classeurs de peau. J'en possède de très rares mais aussi de très communs. J'en échange parfois avec des amis. Je suis allé très loin pour en trouver. Certains m'ont coûté cher et d'autres rien du tout : ils étaient dans les beaux livres et je n'ai eu qu'à me servir. « Le souvenir de la voirie romaine ne persiste-t-il pas aussi dans la toponymie, le nom d'une localité comme Le Perreux ou Le Perray tenant à la traversée de cette localité par une voie empierrée... ? » s'interrogeait Pierre Rousseau dans son *Histoire des transports*. Certes oui. Mais il oubliait de prévenir que ces mots nous maintenaient l'âme ouverte et nous renvoyaient, pour certains, bien au-delà de leur propre histoire.

Les Ivoiriens disaient de Man qu'elle était la ville aux dix-huit montagnes et qu'en langue yacouba son nom signifiait « palabre ». Nous étions invités par une relation de mon père. Il donnait une fête à l'occasion du baptême de son premier fils. La cérémonie était longue mais j'aimais l'église de Fokolary avec ses murs vert canard, ses vitraux Mondrian, sa chorale hypnotique et ses femmes qui jouaient au lélé sur le parvis en terre battue. L'enfant, dans les bras de sa marraine, avait pleuré lorsque le prêtre lui avait versé un peu d'eau sur le front. Elle l'avait alors repassé à sa mère et toute l'église, y compris le prêtre, s'était mise à chanter très haut et à frapper des mains. Le parrain était fier et embrassait tout le monde. Un repas était donné dans le jardin et dans la rue d'une maison blanche qui ressemblait à la nôtre. Les femmes portaient de somptueux boubous aux couleurs subtiles et croquantes. Les hommes avaient des chemises élégantes et des pantalons à pinces de couleur rose thé. Les enfants jouaient ensemble près des tambours, des djembés et des balafons et lorsque les danseurs dans arrivèrent sur leurs échasses, je me souviens, cette fois encore, d'avoir eu peur. Je trouvais leurs masques monstrueux, leurs acrobaties terrifiantes et leurs cris inhumains. Oui, c'était proprement terrifiant, et pourtant nous restions là car ces gueulements sortis de ces visages de bois, ces gestes et la violence de ces mouvements nous renvoyaient à une gamme de sentiments grimaçants que nous partagions depuis longtemps. Tout cela était au contraire très humain. Nous comprenions ces danses car elles étaient déjà en nous. Tout était là. Elles avaient été inscrites. Elles représentaient à elles seules le spectacle complexe, universel et ravageur de notre espèce. Nous les avions perçues comme un héritage et elles nous rappelaient à travers les forces sensuelles et mémorielles de l'art nos vies, nos amours, nos guerres, nos peurs et nos morts originelles.

À Sassandra, je me suis ennuyé. À l'école, Mme Morin nous avait enseigné qu'au xve siècle, le jour de la Saint-André, les navigateurs João de Santarém et Pedro de Escobar débarquèrent dans un village à l'embouchure d'un fleuve qu'ils nommèrent « Rio de San Andrea ». J'imaginais que j'y trouverais quelque chose d'un peu conquistador : un morion, une cuirasse, une bombarde rouillée, l'aileron d'un épieu de guerre ou un reste de fer de vouge. Non, je n'y ai vu qu'un marché sale, très pauvre et puant, le quartier des douanes, la « plage Sud » et, dans l'eau, le dernier wharf sur pilotis.

Je crois que les villages préférés de mon père étaient ceux tout autour d'Ayamé. Il s'y rendait d'habitude à la demande de l'ambassade de France ou à celle de la direction des barrages ivoiriens et avait été reçu à Krinjabo de façon très protocolaire par le roi des Agnis Sanwis et son directeur de cabinet. Ce dernier l'avait par ailleurs invité à revenir en famille pour la fête annuelle des Ignames et lui avait offert un pagne de roi qu'il conserva toute sa vie emballé précieusement dans du papier de soie. Elle avait lieu chaque année, à la fin du mois de novembre, et commençait par une première nuit de silence et d'enfermement, durant laquelle personne, sinon les chefs, les porte-cannes, les notables et le Tounfohinnin[1] chargés d'accomplir les rites sacrés, n'était autorisé à sortir. Je me souviens de cette veillée obscure comme d'une punition interminable et litanique. Nos hôtes priaient l'esprit de leurs ancêtres et moi j'étais gagné par l'ennui, l'inconfort et le sommeil. Nous les enfants étions tout de même autorisés à dormir. Deux jeunes filles nous avaient arrangé une natte dans la case que nous occupions et aux premières heures du matin, passé les engourdissements du réveil, ce fut un émerveillement absolu : il y avait d'abord la lumière inoubliable de ce soleil jaune

1. Vice-roi.

tombant sur les arbres séculaires et les rives du lac d'Ayamé. Il y avait encore les très lentes cérémonies d'adoration de la chaise royale et des sept autres appartenant aux grandes familles des villages environnants. On assistait ensuite aux ablutions du roi dans l'eau saumâtre d'un marigot. Elles étaient accompagnées par les chants des villageois habillés de bazin ou de percal blanc et les danses des prêtresses aux visages enduits de kaolin. Chez les Agnis Sanwis, ces célébrations marquaient l'entrée dans leur nouvelle année. Elles arrivaient après une sorte de semaine sainte durant laquelle les travaux des champs étaient interdits et s'achevaient à la fin de cette première journée, lorsque les offrandes de chacun étaient faites aux différents fétiches et lorsque le nvoufou, un foutou de banane plantain ou d'igname préparé par les femmes, était enfin servi et partagé par tous.

Plus bas, le long de la Bia, il y avait Aboisso, avec sa gare routière et ses voyageurs fouillis en partance pour le poste de Noé; ses pêcheurs d'écrevisses perchés cul nu sur le tronc des arbres morts ou sur la dalle glissante des rochers; ses pirogues prises en tenailles sur l'eau sombre par des îlots vaseux et couverts de lianes d'un vert presque noir. Elles couraient ainsi dans ce paysage «large d'épaules» et un peu grondeur jusqu'à la lagune Aby, ses mangroves et les langues de sable du village d'Assinie.

Et puis il y avait encore les villages de pêcheurs, ceux qui ne portent pas de nom, planqués sous le plumeau doryphore des cocotiers avec leurs cases en torchis et leurs toits de papo, leurs courettes aux murs de palmes d'où s'échappait l'exhalaison brumeuse du poisson mis à fumer et le choc du pilon contre son mortier ; leurs chemins de sable breneux et gratté du pied par des poules tournant dès le matin autour du chant pointu d'un coq gras et roux ; les pirogues couleur de bois flotté regroupées tout en haut de la plage et confiées à la surveillance molle de vieillards qui s'endormaient en mâchant de grosses noix de kola ; les pinasses à moteur baptisées *Dieu est bon*, *Jésus le veut*, ou *Sacré Cœur*, parce qu'il fallait bien ça en renfort du courage pour oser monter à bord ; les lessiveuses de plastique bleu Tahiti ou rose salle de bains servant au transport de la pêche ; les immenses filets que les hommes tiraient tous ensemble en rythmant leurs efforts par des chants que je ne comprenais pas ; le souffle de l'écume qui nous arrivait soudainement jusqu'aux genoux puis nous tirait vers le large ; les femmes toujours à l'ouvrage, la démarche retenue dans leur pagne ; leurs nourrissons sur le dos, bien gainés eux aussi, mais dans d'autres tissus ; les grand-mères préparant le feu sur des foyers de pierre, briquant leurs calebasses comme en Europe nous briquons nos cuivres, balayant le sol en se pliant en deux, triant du maïs, des haricots, des arachides, tout en chassant les chiens des réserves à viande ou encore les mouches sur le visage des enfants à la sieste.

XVI

« Oui, allons dormir, le sommeil a les
avantages de la mort, sans son petit
inconvénient. »

Albert Cohen, *Le Livre de ma mère*

Peut-être parce qu'elles étaient imposées
par Yvonne, mais en Afrique, j'ai détesté mes
heures de sieste. Je n'avais pas le choix, elles
étaient inévitables. Elles s'ennuyaient et s'en-
tortillaient dans les draps. Elles se laissaient
brasser dans l'air bruyant du vieux climati-
seur. Elles gâchaient le bon sommeil. Elles le
rendaient navrant et poisseux. Je trouvais ce
moment d'obscurité relative trop long, écrasant
et régressif. Il me ramenait aux premiers âges de
la vie, à l'heure même où je cherchais de toutes
mes forces à m'en défaire. Le goût de la sieste

m'est venu bien plus tard. Avec celui des flâne-
ries, celui de la lenteur et celui de la paresse, et
c'est finalement à Yvonne que je le dois. J'aime
aujourd'hui qu'elles soient associées aux saisons
et qu'elles me laissent un souvenir. Elles doivent
avoir leur caractère et leur « exotisme ». Elles
doivent avoir de la singularité. J'aimais, par
exemple, celles que je fis dans la grande chambre
jaune de Torrevecchia : c'était des siestes courtes
et elles avaient vingt ans. Elles découvraient
l'Italie et l'amour. Elles étaient engourdies par le
vin et l'amativité. Elles refermaient les volets sur
l'ombre de la pièce et sur une jeune femme que
j'ai beaucoup aimée. Elles laissaient au-dehors
un paysage d'oliviers ronds, un morceau bleu de
Méditerranée et Orbetello Scalo au loin, blanche
et tremblante dans le flou.

J'aimais celles des étés dans la grande maison
joyeuse de Saint-Julien. J'empruntais un livre
ou bien un vieux journal. J'en lisais quelques
pages, allongé sur un couvre-lit écru. J'entendais
les abeilles. J'écoutais les cigales, tandis que le
souffle des vignes et celui de l'Ardèche soule-
vaient du pied les grands rideaux blancs et parfois même la porte ajourée. J'aimais les siestes
de mes lendemains de fête parce qu'elles étaient
nauséeuses et traînantes. Celles des automnes
normands parce qu'elles choisissaient le canapé,

un plaid et le coin du feu qui blésait et sentait bon le sous-bois. J'aimais celles des hivers pékinois, car elles avaient le goût du charbon et se branchaient un petit radiateur en sus. Celles cahoteuses des longs trajets en Chine – dans un train, dans un bus, dans un avion plein à craquer... Puisqu'elles se laissaient emballer par l'odeur des corps et celle des œufs au thé. Celles des printemps pluvieux, parce qu'elles étaient plus fraîches et plus légères que les autres. Celles des jours de neige parce qu'elles étaient hibernales et très silencieuses. Celles dans les grands hôtels parce qu'elles avaient du lustre. Celles sous les tilleuls, parce qu'elles étaient des siestes de jardinier, d'aquarelliste ou de poète. Celles au bord de l'eau avec une bouteille de graves, au frais dans les joncs ou les roseaux. Celles de mon service militaire, parce qu'elles étaient réparatrices et qu'elles s'enfouissaient sous la bâche d'un Berliet ou tout au fond d'une parka mouillée. Celles des premiers jours de grippe, car elles étaient fiévreuses, pleines de rêves et d'une profondeur inouïe.

XVII

Pour donner raison aux angoisses de ma mère, un matin, je suis tombé malade. Un poisson grillé m'avait tourné le foie. Certains médecins pensaient à la typhoïde et d'autres à une hépatite. *En vérité*, ils n'ont jamais su. Je ne gardais aucun aliment. Je rejetais tout. J'avais de la fièvre, je m'affaiblissais et puis je m'enfermais dans un sommeil garrotté par de beaux rêves apathiques et fous que connaissent aussi les morphinomanes et les mourants. Toute la nuit, ma mère, mon père et Yvonne se relayaient près de moi. Ils surveillaient ma température et m'hydrataient à la cuillère. L'un ou l'autre parfois s'endormait sur sa chaise dans le ronflement de la clim et l'éclat tango de ma petite lampe. Je sentais leur présence, leurs attentions, leurs angoisses et leurs mains fraîches sur les miennes. Je sentais la mort aussi. Je la voyais m'attendre en fumant sous le flamboyant du jardin. Parfois elle s'approchait de la fenêtre et reprenait, comme Patiguine lorsqu'il ratissait la pelouse, le refrain de l'hymne ivoirien :

« Fiers Ivoiriens le pays nous appelle !
Si nous avons, dans la paix, ramené la liberté,
Notre devoir sera d'être un modèle
De l'espérance promise à l'humanité
En forgeant, unis dans la foi nouvelle,
La patrie de la vraie fraternité. »

Parfois elle m'envoyait un danseur nègre avec le visage blanc et de travers comme dans les dessins de Picasso. Parfois un guerrier couvert de poils roux et de la taille d'un Pygmée. Parfois un homme à tête de chien, comme dans mon livre sur les divinités égyptiennes. Parfois Mme Morin qui en profitait pour me faire revoir la table de huit et celle de neuf. Et parfois une belle sorcière noire qui se penchait sur moi, m'écrasait sous ses gros seins puis me demandait si j'étais prêt et si je n'avais pas peur. J'étais une chiffe nauséeuse et triste mais ses gros seins me réjouissaient. Et puis non, je n'avais pas peur car, à huit ans, la mort, après tout, est une escapade qui en vaut une autre. Malheureusement, elle se faisait chasser par un petit singe gris à couronne rouge, audacieux, batailleur et bienveillant. Il bondissait sur le lit et cherchait à la mordre. Ce singe était mon totem. « Il prend soin de toi, il protège ton âme », m'avait dit Yvonne, qui le voyait également. C'était un esprit de la forêt, l'équivalent chez nous d'un ange gardien, d'un sauveteur en mer ou d'un avocat commis d'office. Durant plus d'un mois, chaque matin, j'étais encore plus mal. Yvonne et ma mère me lavaient, m'habillaient et m'emmenaient à l'hôpital de Port-Bouët pour une prise de sang quasi quotidienne. Le couloir, les chambres, les salles d'attente ou de soins, je les revois dans une confusion éthérée, de murs sales, de portes déglinguées, de civières usées, de corps torpides ou tourmentés, de gémissements, de cris et de soleils. On m'assoyait sur une table de consultation collante ou sur un tabouret de fer attenant à une étagère couverte d'instruments chirurgicaux, de carrés d'ouate et de bandes Velpeau brunies par le pus ou le sang séché. Ma mère m'implorait de ne toucher à rien. Un infirmier en short, gentil et prévenant – toujours le même – cherchait un morceau de veine encore capable de recevoir l'aiguille tordue d'une seringue en verre, si vieille qu'elle avait dû servir à David Livingstone puis aux nombreux patients de la léproserie gabonaise du pasteur Schweitzer. Vers 11 heures, nous étions reçus dans le cabinet foutoir du docteur Moreau. Il tirait ses volets car la chaleur dehors était insupportable. C'était un bon médecin. Un broussard d'une cinquantaine d'années toujours en Pataugas, en jeans et en chemisette Pierre Cardin. Il était bien meilleur que tous les médecins recommandés par l'ambassade de France. Celle-ci d'ailleurs ne l'avait pas inscrit sur ses listes car il se tenait à l'écart de la communauté française. Il n'y avait là rien d'étonnant. Il faut dire qu'elle constituait – et qu'elle constitue ici ou là, aujourd'hui encore – un ensemble de privilégiés peu sympathiques au sein duquel l'intelligence a bien du mal à s'épanouir. Lui avait choisi de soigner et il ne s'occupait de rien d'autre. Il lisait mes résultats les coudes posés sur le vernis usé de son bureau et se servait de ses grosses lunettes Georges Pompidou comme d'une loupe. Puis il s'approchait de moi. Il m'appuyait sur le ventre, il me regardait le blanc de l'œil, il m'appelait « mon capitaine », m'offrait invariablement un petit cow-boy en plastique, commandait à mes parents de me nourrir au Coca-Cola, d'attendre encore et de ne surtout pas rentrer en France car, disait-il, « là-bas, ils n'y connaissent rien, ils vont le mettre en quarantaine et en faire un cobaye ».

Les amulettes dissimulées par Yvonne dans la taie de mes oreillers, le singe à mes pieds, les

132

bons soins de ma mère associés au régime Coca-Cola du docteur Moreau eurent sur moi le meilleur effet. Je dormais, je buvais, je rotais, j'allais mieux. Je retrouvais la force de lire et parfois celle de me lever jusqu'au jardin. Je me déplaçais à petits pas avec l'impression de me porter sur le dos puis, n'en pouvant plus, je m'assoyais à l'ombre sur les marches basses de la cour. J'observais un chemin de fourmis se dérouler comme un ruban sur un fruit trop mûr; deux margouillats se disputant un grillon séché; ou un gros rat abominablement gris se glissant sans dommage entre les tessons fichés au sommet du mur de notre propriété. J'étais maigre, pâle, tranquille et assourdi. J'étais plus silencieux qu'un chat et la maladie m'avait soufflé comme une buée. J'étais invisible, enfoui sous le trille des oiseaux et le tapage des insectes. Plus personne ne me voyait. Ainsi je surprenais régulièrement Yvonne en larmes entre deux draps qu'elle était en train d'étendre ou dans la cuisine, faisant la vaisselle au-dessus de la pierre à évier. Elle s'essuyait les yeux du revers de la main et priait sainte Rita pour qu'elle lui «rende Emmanuel». Je restais là sans rien dire, momifié dans mon amollissement de curiste et je regardais la vie, la mienne, la sienne et celle des autres, sans trop savoir comment y retourner. Certains soirs, au salon, ou dans la grande salle à manger, j'écoutais la conversation des adultes lors des dîners que mes parents s'obligeaient à donner. Ils parlaient d'argent, d'impôts ou de politique. Ils louaient Giscard d'Estaing, sa jeunesse, son côté Kennedy. Ils trouvaient « Houphouët-Boigny malin comme un singe » et reconnaissaient qu'il assurait un climat propice aux affaires. Ils racontaient leurs anecdotes de brousse, de pistes inondées, de voitures sur le flanc et de pneus éclatés. Ils plaisantaient en direction de l'Afrique et leur grossièreté n'était en fait qu'une sorte de fascisme miniature et scurrile, destiné à se rassurer, à se « retrouver » sous le drapeau pinchard, à s'alimenter en conversations incultes et faciles entre gens qui n'avaient finalement pas grand-chose d'autre à se dire. Oui, j'assistais sans qu'ils me voient à l'expression pénible de leur condescendance ou, pire encore, à celle de leur désobligeance qu'ils déversaient sans remords sur ceux qui les servaient à chaque instant : les uns se souvenaient dans l'épaisseur d'un fou rire que leur boy s'était garni les narines de persil avant de poser sur la table la tête de veau qu'il venait d'apprendre à cuisiner. Les autres que le leur avait la plante des pieds et la paume des mains blanches car « ils avaient été, on s'en souvient, peint à quatre pattes ».

Je préférais la bande de Grand-Bassam à celle de la salle à manger. Je préférais les amis de mes parents à cette petite société vulgaire de notables mal ficelée. Contrairement à eux, Tixier, Arnaud, Henninger et Jacky avaient de la fantaisie. Ils prenaient l'Afrique comme elle venait et sans trop se poser de questions. Ils avaient sur eux de l'humour et envers elle de la gratitude. L'argent pour l'argent, la méchanceté, la dimension stérile du calcul et les choses trop compliquées ne les intéressaient pas. Ils travaillaient là pour l'instant, ils y vivaient, ils s'y plaisaient et c'était tant mieux.

XVIII

Les enfants ne renoncent jamais. C'est ce qui les rend sympathiques et effrayants. Ils ont avec eux la belle énergie du temps. Ils sortent d'une fièvre qui, la veille, les donnait pour morts et soudain, le pyjama encore humide, ils entreprennent la conquête d'un empire, le siège d'une citadelle, la reconstruction d'un château médiéval, l'organisation d'un bal avec princesses et prétendants, des Jeux olympiques d'hiver, une chasse aux dinosaures, le tour du monde en ballon ou l'ascension du K2. Ils réorganisent le monde sur les herbiers de l'imaginaire. Ils écrivent des codex en langues extraterrestres. Ils renomment les étoiles et les galaxies. Ils redessinent les cartes, les frontières, les fleuves et les rivières. Ils inventent une économie basée sur le cours de la Chupa Chups et du Carambar. Ils peignent à plusieurs, au bouchon ou à la main, des fresques gigantesques sur lesquelles il n'est plus question ni de dieux ni de faute originelle. Ils changent les couleurs des arcs-en-ciel, des nuages, de l'herbe, des forêts et du soleil. Ils transforment leur lit en arche de Noé, en capsule Apollo ou en camion de pompiers. Ils tuent des loups, des tigres, des lions, des requins blancs ou des boas constrictors à l'aide d'un simple élastique et, tandis que leurs parents se plaignent, se détachent et ne s'intéressent plus qu'à leur propre destruction, eux, les enfants, savent comment s'y prendre et transportent la mer tout entière dans un seau.

J'allais de mieux en mieux. La prise de sang suivie de mon rendez-vous chez le docteur Moreau devenait hebdomadaire puis bimensuelle. Lorsque nous arrivions, ma mère stationnait sa voiture dans une rue étroite et entre deux citronniers dont le parfum même suffisait à me redonner des forces. Il y avait de part et d'autre une ribambelle de braseros, ou de petits fours en terre tenus par des femmes qui cuisinaient de jour comme de nuit pour les médecins, les infirmières, les malades et leurs familles. Il y avait encore un homme nu et sale qui montait puis redescendait la rue, sans cesse, en agitant les bras et en se parlant à lui seul. Tout le monde ici l'appelait « le fou » mais lorsqu'il fut question de l'interner à Bingerville, les grand-mères du quartier qui le nourrissaient depuis l'enfance s'y opposèrent et chassèrent les agents municipaux, à coups de louches, de bâtons, de pierres ou de broches à volailles.

Je n'avais pas beaucoup d'appétit, pourtant le docteur Moreau remplaçait mes doses de Coca-Cola quotidiennes par des compotes de fruits, des légumes à la vapeur et de la bouillie de riz. Je restais maigre et toujours aussi pâle mais j'avais moins le cœur entre les dents. D'ailleurs, je retournais à l'école et je m'apercevais à quel point Georgia m'avait manqué. J'étais heureux de retrouver les copains ; ma classe ; le tableau noir boursouflé d'humidité ; l'odeur de la craie ; le chicotement des ventilateurs au plafond ; cette lumière de riviera qui jouait des coudes puis finissait par se faufiler sous les volets ; mon pupitre sur lequel j'avais gravé un voilier, un avion et une pomme à la pointe du compas ; les blagues de Toto que mon voisin me racontait à l'oreille avec l'accent belge (pourquoi belge ?) ; la cour de récréation avec, au fond, sa petite baraque de ciment jaune dans laquelle une tantine nous vendait des Solibra fraîches, piquantes et sucrées, que nous payions avec des tickets ronéotypés ; la citronnelle sauvage dont on se frottait les jambes pour éloigner les moustiques; l'ombre sous la voûte des grands hibiscus qui nous servaient de cabane, de quartier général, de porte-avions, de grotte ou de vaisseau pirate; le terrain de foot en latérite rouge qui déteignait sur le ballon et nos socquettes blanches; et même Mme Morin, malgré son abominable caractère et ce tic qu'elle avait de jeter nos livres et nos ardoises, pour un oui ou pour un non, aux quatre coins de la pièce. Je retrouvais Georgia et tout chez elle me plaisait davantage: son rire, sa voix, ses cheveux très noirs et nattés, ses mains, ses jolis pieds chaussés de sandalettes bleu marine, ses robes en vichy, la couleur et le grain de sa peau, ce rien de sueur qui perlait le long de sa nuque lorsque nous revenions de la gym, ses yeux rieurs et ses regards en coin. Les journées que je passais près d'elle se suffisaient à elles-mêmes et, vers 16 heures, lorsque son chauffeur arrivait, je m'attendais au néant. Il claquait la portière et la Terre s'ouvrait en deux pour nous avaler en grondant.

Dans l'*Éloge de la bête*, Nathalie Angier explique que le *Pyrochroidae* est un scarabée intéressé et pragmatique. Le mâle, lorsqu'il entreprend de séduire une femelle, lui dévoile sa crevasse située au niveau du front et l'invite à venir y puiser de la cantharidine, puisque cette substance permettra plus tard à leurs œufs de se protéger des fourmis. Certains mâles sont plus riches en cantharidine que d'autres et les femelles, lorsqu'elles ont le choix, choisissent les fronts les mieux garnis. Dans le même livre, elle raconte une expérience observée sur des coqs sauvages d'Asie : « Les oiseaux sont les proies d'un nombre impressionnant de parasites, dit-elle. Vivre dans un nid abrité et douillet contribue beaucoup au développement des vermines et il n'est donc pas surprenant que les femelles s'en préoccupent. [Sur les coqs], les biologistes ont identifié les ornements qui attirent le plus les poules : la crête et la caroncule. Elles s'y intéressent plus qu'à n'importe quelle autre caractéristique : taille, poids, agressivité de la démarche ou état des plumes. Plus sa crête est longue, plus sa caroncule est brillante, et plus un individu a de chances d'être élu. Ce raisonnement est impeccable ; ces parties étant les plus charnues du corps du coq, elles sont aussi les premières à laisser voir la présence de parasites ou de maladies. » Plus loin, elle parle des rainettes chez qui les femelles demandent aux mâles « des séries de trilles dont ils modifient à l'envi le rythme et la fréquence. Leur mélodie de baryton exige la production d'une énorme quantité d'oxygène épuisant leur réserve d'énergie, raconte-t-elle. Mais ils continuent jusqu'à se trouver au bord de l'inanition, comme si les femelles exigeaient qu'ils aillent au-delà de leurs limites physiologiques. » Plus loin encore, elle cite le cas de l'épinoche à trois épines s'acquittant d'une danse en zigzag et dont le ventre du mâle bien portant devient rouge à la saison des amours. Or celui des poissons malades est au contraire plus pâle et reste terne après la guérison. Les zigzagueurs rompus et les margoulins, malgré tout le cœur qu'ils ont à offrir, comprennent vite que les femelles choisiront ceux qui affichent un ventre pigmenté et fier.

Il y a dix mille ans, nous étions tous noirs. On le sait. Mais puisque rien n'est définitivement acquis, certains d'entre nous ont décidé de produire petit à petit moins de mélanine et leur peau s'est éclaircie. J'étais nostalgique de cet ancien temps car, pour plaire à Georgia, je me serais bien vu en Jesse Owen, en Marius Trésor ou en Mohamed Ali. Par ailleurs, la maladie m'avait mis à plat et, sinon quatre ou cinq boîtes de Lego, un train électrique dont l'emballage en polystyrène exhalait encore la résine du sapin, l'orange de Noël, le houx et la neige en bombe, un puzzle incomplet d'un paysage immobile et suisse, quelques illustrés sur lesquels ma sœur avait essayé ses feutres neufs, une jeep et deux Action Joe en tenue de safari, mon skateboard à qui je devais deux incisives cassées, mon masque, mon tuba et ma paire de palmes Flipper le Dauphin, je n'avais pas grand-chose à offrir à Georgia. Moi, je n'étais qu'un *Pyrochroidae* fauché, un coq à petite caroncule, une rainette sans souffle, une épinoche dépigmentée. Je savais sauter du troisième plongeoir en me bouchant le nez, nager à peu près correctement et décocher parfois une droite pointue, rapide et sèche. Mais de ma vie entière, au football, je n'ai jamais su marquer un but, ni faire le poirier, la roue, grimper à la corde ou sauter en fosbury et Georgia le voyait bien. Sur les conseils d'Yvonne, j'ai oublié Georgia, ses jolies jambes, ses nattes, ses robes d'été et son bel entrain. Ou plutôt, je l'ai remisée tout en haut, à l'étage généreux des doutes, des échecs et des batailles perdues. Mais depuis lors j'ai toujours pris soin de me bricoler des histoires de cœur. Elles m'ont permis d'avancer. Elles sont mes moteurs. Enfant, je leur donnais tout le carburant qui me passait sous la main : un bouquet de jonquilles, de coquelicots (sitôt fanés) ou de marguerites qui sentaient les pieds ; l'émeraude d'un tesson de Kronenbourg poli par le sable et l'eau de mer ; une poignée de coquillages que j'emballais dans du papier crépon ; des pierres brillantes ou nacrées que je trouvais précieuses et que j'enfermais dans des coffres inviolables ; une carte postale sur laquelle un chat et un berger allemand avaient l'air bons amis ou une

143

autre d'un château en Bavière forcément un peu Sissi; une bague «plaisir d'offrir» ou une balle mi-strass mi-latex que j'achetais dans une tirette à cinq francs; un parfum à la violette; mes décalcomanies ou ma collection complète de tatouages Malabar; un Mister Freeze goût citron ou grenadine; une série de poèmes à propos des oiseaux, des étoiles, des nuages ou de la rosée du matin; des promenades à vélo près du lac ou du parcours de santé; des rendez-vous derrière l'abribus des stations Millière ou Parc Napoléon, d'autres à la sortie des vestiaires ou sur le parking du Geric; des fâcheries éphémères et puis des mots doux ou parfois un peu vaches écrits au crayon Caran d'Ache ou au Bic quatre couleurs. J'aimais en autodidacte. Je n'avais aucune technique. Alors j'y mettais plus de vie.

XIX

« Quand tu aimes il faut partir
Quitte ta femme quitte ton enfant
Quitte ton ami quitte ton amie
Quitte ton amante quitte ton amant
Quand tu aimes il faut partir
Le monde est plein de nègres et de
négresses
Des femmes des hommes des hommes
des femmes […] »

Blaise Cendrars, « Tu es plus belle que le ciel et la mer »,
Au cœur du monde, *Poésies complètes 1924-1929*

Emmanuel ne s'était pas investi dans le petit hôpital de campagne qui tournait autour de moi. Le matin, il venait prendre de mes nouvelles et vers 19 heures me dire bonsoir. La maladie lui faisait peur et son ancrage le terrifiait. C'était un homme de mouvement et, malgré les mises en garde de mon père, il s'entêtait à vouloir partir en France. En dehors de son travail chez nous, il venait d'accepter un poste de barman le soir à l'hôtel Ivoire. Il portait une cravate noire et un costume qui lui allait bien. Yvonne avait confié à ma mère qu'il rentrait très tard dans la nuit, passablement saoul et souvent accompagné d'une ou deux trottineuses. Il les abandonnait derrière la maison, sur la chaussée de terre qui longeait le mur du jardin et non loin des fenêtres de ma chambre. J'entendais parfois leurs rires étouffés et l'éclat de leurs phrases pleines de supercheries et dans lesquelles il était question de jalousie, d'argent, de cadeaux, de pagnes neufs, de rupture et de départ.

Au fond du jardin, la boyerie était mon endroit préféré. Là-bas les fins d'après-midi étaient délicieuses. Vers 17 heures, l'ombre des arbres s'y déversait et le parfum des fleurs semblait plus délicat. Maintenant, les épouses de Patiguine, celles de Philippe, leurs nièces, leurs sœurs et des cousines vivaient là, elles aussi. Elles arrivaient, restaient un temps, cuisinaient du matin au soir des ragoûts huileux qui mettaient le feu au ventre, faisaient leur lessive à grande eau et étendaient leur linge à plat. Et puis elles s'en allaient, comme ça, un matin, à cause d'un parent malade, d'un enfant à mettre au monde, d'une récolte ou d'une simple course à faire. La boyerie était un endroit très gai, de palabres, de chants et de bringuebalements. Les femmes s'y entendaient bien, malgré quelques fâcheries qui offraient à Yvonne puis à ma mère l'heur de rendre une justice « ouilla-ouilla [1] » et l'occasion de remettre les cœurs à neuf. Mais un jour, les choses se compliquèrent. Elles venaient de saigner le cochon de lait qu'un chef de village avait offert à mon père et auquel je m'étais attaché. Aujourd'hui encore, je revois les caillots de sang se former au soleil, les viscères puants au fond du seau, le bourdonnement des mouches sur la dalle et cette viande d'un rose atroce, vive comme du marbre et clouée sous un tulle à la porte des toilettes. Au prétexte de quartiers inéquitablement partagés, certaines prirent parti pour Emmanuel et trouvèrent normal qu'il soit un peu noceur. D'autres pour Yvonne, arguant qu'il lui devait au moins un mariage et le rang de première épouse. Yvonne n'avait rien demandé. Emmanuel non plus d'ailleurs. Et même s'ils se tenaient bien loin de ces chamailleries, ce beau carré de ciment, de gramen et d'herbes folles se transforma, hélas, en théâtre de chagrins, d'ombres misérables et de batailles. Désormais,

1. De mauvaise qualité.

je restais dans ma chambre, au salon, à la cuisine, ou du côté de la piscine, qui n'était pas bien belle mais sur laquelle débordait un morceau de forêt primitive et de halliers édéniques.

XX

« L'enfant, percevant pour la première
fois un bruit qui lui venait des hommes,
se précipita à la fenêtre et cria de toutes
ses forces : "Au secours !" »

Jules Supervielle, *L'Enfant de la haute mer*

Dans la lumière du soir, mes éléphants, mes
lions, mes rhinocéros, mes gazelles, mes hip-
popotames, mes gorilles à dos argenté, mes
phacochères, mes chimpanzés et mes zèbres
de plastique s'en allaient en procession minuscule sur la moquette de ma chambre lorsque
Emmanuel entra pour me souhaiter une bonne
nuit. Il s'assit au bord du lit et me demanda
où se rendaient tous ces animaux. Je l'igno-
rais. Mais comme nous sentions lui et moi que
quelque chose se préparait, je répondis : « Dans

les montagnes de Man car l'air y est plus frais »,
en désignant mon uniforme sale et roulé en
boule dans un coin de la pièce. Il portait un
simple short de travail et son T-shirt Renault
Sport dont il remontait les manches pour faire
un peu Marlon Brando. Ses pieds étaient nus et
on entendait dehors le froissement humide de la
pluie. D'habitude à cette heure, il était déjà en
costume et s'apprêtait à rejoindre l'hôtel Ivoire.
Il enchaîna trois ou quatre mouvements de boxe
auxquels je répondis, avant de m'embrasser le
front et de quitter la chambre. Je vis ce soir-là
qu'il était malheureux.

Le lendemain matin, il ne rentra pas. Ni le
surlendemain, ni plus jamais.

C'était au début d'une nouvelle saison des
pluies. Sinon le pas traînant de l'eau sur le sol,
plus rien ne bougeait. Le temps avait été englouti
par l'absence d'Emmanuel. Il avait laissé un
peu d'argent à Yvonne et une lettre écrite sur
du papier d'écolier. Il expliquait qu'il allait en
France, faire sa vie, et qu'il fallait qu'elle com-
prenne. Elle avait compris. Elle n'en parlait pas.
Elle n'en dit jamais rien. C'était ainsi. Je la regardais et je restais plus souvent dans ses jambes.
Lorsqu'elle se reposait, je me repliais contre elle
et nous ressemblions tous les deux à une colline
éboulée.

XXI

C'était un samedi matin, car je n'avais pas
école. Mon père était parti travailler tôt. Ma
mère s'occupait de ma sœur tandis qu'à l'extérieur Patiguine et Philippe creusaient une tranchée à la bêche et disposaient de lourds sacs de
sable, afin que l'eau n'envahisse pas le chemin du
garage. J'ai retrouvé Yvonne dans sa chambre,
elle était inconsciente au pied de son lit. Elle
avait vomi du sang. Il y en avait sur ses draps, sur
le sol, sur ses mains et sa poitrine. Elle brûlait
de l'intérieur. Elle respirait en faisant de petites
bulles rouges avec le nez mais ses yeux ouverts
n'étaient pourtant déjà plus là. J'ai couru, j'ai
appelé, j'ai crié et j'ai pleuré. Ma mère, Patiguine
et Philippe sont arrivés très vite. Ils l'ont allon-
gée sur la banquette de la voiture puis ils sont
partis pour l'hôpital.

L'après-midi dans ma chambre, je l'ai passée avec ma sœur, à prier tous ceux que j'avais sous la main : la mort qui m'avait épargné, les danseurs nègres aux visages de kaolin, les guerriers couverts de poils roux, notre bonne sainte Rita, le dieu à tête de chien, la sorcière vaudoue à gros seins et même mon singe totem qui avait pris tant soin de moi. Ce fut en vain. Personne n'est venu, jamais sinon ma mère alors qu'il faisait déjà nuit. Elle était trempée, bouleversée et la jupe de sa robe était tachée de sang brun. Mon père l'avait rejointe à l'hôpital de Port-Bouët aussitôt qu'il avait pu. Yvonne était morte à midi. Les médecins avaient découvert qu'elle était enceinte et qu'elle s'était provoqué une hémorragie en essayant de faire passer son enfant grâce à une poudre de verre pilé avalée avec un grand verre d'eau. C'était, à cette époque, habituel et fréquent. Un véritable fléau, avaient-ils confié. Ce poison tranchant était vendu par de vieilles femmes ignorantes sur les marchés d'Abidjan. Elles le bricolaient au fond de mortiers crasseux. La plupart du temps il ne servait à rien, demeurait sans effet, mais si le verre était mal ou insuffisamment pilé, il déchirait les ventres et devenait assassin.

XXII

Yvonne fut enterrée au cimetière de Williamsville dans un coffrage de ciment blanchi à la
chaux et sur lequel était fichée une croix de fer
qui rouillait déjà aux soudures et penchait un
peu vers l'ouest. Comme personne ne connaissait
sa date de naissance, seule celle de sa mort avait
été gravée. Ma mère allait presque chaque jour
déposer sur sa tombe un bouquet d'hibiscus ou
de becs de perroquet qu'elle coupait dans notre
jardin, ou du côté de la boyerie. Sa chambre avait
été vidée et ses affaires empaquetées. Elle avait
peu de choses en vérité : un cadre contenant une
broderie ; une photo noir et blanc d'une famille
africaine, perdue dans l'immensité d'un paysage, une autre de sa mère, et une dernière sur
laquelle nous étions tous ensemble ; des mou-
choirs ; ses peignes à longues dents ; une crème

pour s'éclaircir la peau, un vernis à ongles bon marché ; une bible et un missel ; un transistor à piles ; ses pagnes, ses débardeurs impeccablement blancs, deux boubous, ses sandales de cuir et un petit sac à main dont elle était très fière car il faisait un peu chic.

Puis un jour, les costauds d'une compagnie de déménagement enfermèrent dans l'intérieur salé d'un container nos cartons, nos meubles et nos objets africains. Puisque tout devait entrer, alors, comme dans une tête, on y rangeait parfois les souvenirs de travers. Les dernières semaines à Abidjan, je les revois mal. Mis à part nos lits et de quoi remplir une cantine militaire, la maison avait été vidée, elle aussi. Elle était propre et fantomatique. La nuit, j'avais peur d'y dormir. Il y eut encore quelques jours à l'école, avec Mme Morin et ses fureurs, Georgia de plus en plus lointaine et les copains qu'il fallait bien quitter. Il y eut deux ou trois après-midi à la piscine du Palm Beach ; un dîner à La Perle d'Orient, un autre à La Pergola ; et un ultime dimanche à Grand-Bassam avec Arnaud, Jacky, Henninger et la famille Tixier qui rentrait en France elle aussi. Chez nous, toutes les femmes avaient désormais quitté la boyerie. Certaines craignaient d'y croiser un fantôme. Patiguine et Philippe demandèrent à mon père de l'argent en guise de dédommagement pour quelques préjudices qu'ils inventèrent. La nuit, je rêvais d'Yvonne et souvent je me réveillais en pleurant. Elle marchait sur la plage, pieds nus, avec un pagne noué sur l'épaule. Elle ramassait un peu d'écume avec le plat de sa main. Sa peau était une pluie de cendres boueuses comme seuls en crachent les volcans. Son sourire irradiait. Ses seins étaient un incendie et son ventre, le ventre du monde. Et puis elle s'asseyait. Ses jambes s'ouvraient doucement sur le néant et la mer, ses doigts s'enfouissaient dans le sable rouge et je sortais de son sexe saignant comme l'enfant noir, hurlant et brûlant qu'elle n'aura finalement jamais eu.

REMERCIEMENTS

L'auteur souhaite remercier chaleureusement
Ma Xiaomeng, Mariam Loussignian, Capucine Ruat
et Michaël Ferrier.

Cet ouvrage a été composé
par Maury à Malesherbes
et achevé d'imprimer en France
par CPI Bussière
à Saint-Amand-Montrond (Cher)
pour le compte des Éditions Stock
31, rue de Fleurus, 75006 Paris
en février 2016

Imprimé en France

Dépôt légal : mars 2016
N° d'édition : 01 – N° d'impression : 2021155
38-51-1648/0